Minna no Nihongo

みんなの日本語中級Ⅰ

標準問題集

スリーエーネットワーク

Published by 3A Corporation.
Trusty Kojimachi Bldg., 2F, 4, Kojimachi 3-Chome, Chiyoda-ku, Tokyo 102-0083, Japan

ISBN 978-4-88319-594-7 C0081

First published 2012
Printed in Japan

まえがき

『みんなの日本語中級Ⅰ標準問題集』は『みんなの日本語中級Ⅰ』各課に沿って、その課の学習事項の確認、整理、定着を図るための基礎的練習問題集です。

各課の問題はその課の学習の総仕上げとして、教室で、あるいは宿題として利用することにより、練習量を増やすとともに、学習者各自が自分の達成度を測ることができるよう作られています。

また、教師が回収してチェックすることにより、学習者の習得状況を把握し、必要に応じて復習の時間を設けたり、個別指導をするなど、日々の学習活動の充実に役立てていただけるよう配慮されています。

各課4頁の問題は「文法・練習」2頁「話す・聞く」「読む・書く」各1頁で作られています。その他、3課ごとに「復習」を、また『中級Ⅰ』のまとめとして最後に「総復習」を入れました。

表記は原則として『みんなの日本語中級Ⅰ』本冊と同様に、漢字にはすべてふりがなが付いています。

本教材をお使いになってのご意見、ご感想などをお寄せいただければ幸いです。

2012年4月

株式会社スリーエーネットワーク

第１課

名前

文法・練習

1．例：ドアが開いていて、寒い。

　→＿ドアを閉めて＿いただけないでしょうか。

　1）荷物を４階まで運ばなければならない。

　　→この荷物を＿＿＿＿＿＿＿＿＿＿いただけないでしょうか。

　2）網棚の荷物を取ることができない。

　　→すみませんが、網棚の＿＿＿＿＿＿＿＿＿＿いただけないでしょうか。

　3）説明が複雑で、わかりにくい。

　　→すみませんが、＿＿＿＿＿＿＿＿＿＿いただけないでしょうか。

　4）一人で病院へ行けない。

　　→すみませんが、＿＿＿＿＿＿＿＿＿＿いただけないでしょうか。

2．例１：わたしの母は明るくて、＿太陽のような＿人です。

　例２：わたしの母は＿太陽のように＿明るいです。

　1）＿＿＿＿＿＿＿＿自由に空を飛びたいです。

　2）これは何ですか。＿＿＿＿＿＿＿＿味ですね。

　3）昨日はとても寒くて、＿＿＿＿＿＿＿＿天気でした。

　4）公園はまるで＿＿＿＿＿＿＿＿にぎやかでした。

太陽
お祭り
冬
鳥
バナナ
母親

3．例：生け花や［　お茶　］＿のような日本の文化＿に興味があります。

　1）洗濯機や［　　　　］＿＿＿＿＿＿＿＿が安い店はどこですか。

　2）ソースや［　　　　］＿＿＿＿＿＿＿＿は台所にあります。

　3）シャワーや［　　　　］＿＿＿＿＿＿＿＿がないと不便です。

　4）パスポートや［　　　　］＿＿＿＿＿＿＿＿はちゃんとしまっておきましょう。

~~日本の文化~~
調味料
設備
大切なもの
観光地
電気製品

4．例：外国に＿留学することは＿いい経験になります。

　1）わたしたちは人の気持ちを＿＿＿＿＿＿＿＿大切なのです。

　2）戦争を＿＿＿＿＿＿＿＿簡単ではないが、必要だ。

　3）大会で＿＿＿＿＿＿＿＿目指して、頑張っています。

　4）母はわたしが犬を＿＿＿＿＿＿＿＿反対した。

~~留学します~~
優勝します
飼います
なくします
考えます

5．例：外国で勉強することを＿留学＿と言います。

　1）勉強するためにもらうお金のことを＿＿＿＿＿＿と言います。

2）お金を入れると、品物が出てくる機械を＿＿＿＿＿＿＿と言います。

3）正月に食べる伝統的な料理を日本では＿＿＿＿＿＿＿と言います。

6．例：日本には＿お好み焼きという＿（　おいしい　）食べ物があります。

1）わたしには＿＿＿＿＿＿＿＿＿（　　　　　　）友達がいます。

2）わたしの国には＿＿＿＿＿＿＿＿＿（　　　　　　）お祭りがあります。

3）わたしの国の＿＿＿＿＿＿＿＿＿（　　　　　　）料理を知っていますか。

7．例：[行きます]　＿どこへ行っても＿人が多くて大変だ。

1）[食べます]　おばあさんは＿＿＿＿＿＿＿「おいしい、おいしい」と言います。

2）[聞きます]　この問題の答えは＿＿＿＿＿＿＿「わからない」と言われました。

3）[入ります]　この喫茶店は＿＿＿＿＿＿＿込んでいます。

4）[買います]　日本ではたばこは＿＿＿＿＿＿＿同じ値段です。

8．例：部屋＿で＿手紙＿を＿書きます。

1）山の中＿＿道＿＿迷いました。

2）合格＿＿目指して一生懸命勉強している。

3）どんな人＿＿も欠点はある。

4）あの京都のお祭り＿＿何＿＿言いますか。

9．

~~かける~~	いっぱい	立派	明るい	似合う	目指す

例：もう一度電話を（　かけて　）ください。

1）そのシャツの色、あなたにはあまり（　　　　　）ないと思います。

2）彼は医者になることを（　　　　　）一生懸命勉強を続けている。

3）声が小さいですね。もっと大きな声で（　　　　　）歌いましょう。

4）ごみ箱のごみが（　　　　　）なっているから、捨ててください。

5）あの（　　　　　）家は、大きい会社の社長の家だそうですよ。

～中	欠点	まるで	～過ぎ

6）姉はいつもわたしに「きちんと片づけて」と、（　　　　　）母親のように言う。

7）自分のいいところを知ることも大切だが、（　　　　　）を知ることも必要だ。

8）連絡が遅くなってすみません。ずっと会議（　　　　　）だったので…。

9）すみません、道が込んでいて、着くのは5時（　　　　　）になると思います。

話す・聞く

1．例：部屋＿で＿手紙＿を＿書きます。

1）佐藤さんの趣味は釣りだ______聞いたんですが、……。

2）あ、雨だ。困ったな。…あのう、古いです______、この傘______よければどうぞ。

3）先日______お庭を見せていただいてありがとうございました。

…いいえ。お役______立ててよかったです。

4）友達の結婚式______司会______引き受けた。

5）この問題の答えがA______B______迷ってしまう。

2．

~~ゆっくり~~	引き受ける	断る	伝統的	実際に	何とか

例：どうぞ（　ゆっくり　）休んでください。

1）友達がお金を貸してくれと言ったら、（　　　　　　）うと思います。

2）田中さん、結婚式のときの司会を（　　　　　　）くれませんか。

3）あの建物は写真では見たことがあるが、（　　　　　　）自分の目で見たのは初めてだ。

4）（　　　　　　）この研究に協力していただけないでしょうか。

5）あなたの国にも日本の着物のような（　　　　　　）服がありますか。

ふだん	市民	お礼	内容

6）日本の映画を見たとき、ことばは難しかったが、（　　　　　　）はだいたいわかった。

7）あの家は（　　　　　　）だれも住んでいなくて、たまに管理人が掃除にくる。

8）警察はわたしたち（　　　　　　）からも、いろいろな情報を集めた。

9）（　　　　　　）を言うとき、「ありがとうございます」より丁寧な言い方がありますか。

3．

それで	それなら	そういう	そうですね

1）A：将来、警官になりたいと思ってるんです。

B：（　　　　　　）、警察大学校に行かないとだめですよ。

2）A：お土産なら、チョコレートとか、果物とかはどうですか。

B：（　　　　　　）ものじゃなくて、ずっと使えるものがいいんです。

3）A：日本のアニメが大好きなんです。

B：（　　　　　　）、日本語を勉強しているんですか。

4．例：大阪へ行きますか。…いいえ、大阪じゃなくて、京都へ行くんです。

1）お茶を飲みたいですか。…いいえ、______________________

2）あの子は中学生ですか。…いいえ、______________________

3）パスポートが要りますか。…いいえ、______________________

読む・書く

1．例：部屋＿で＿手紙＿を＿書きます。

1）この部屋は、昼は仕事部屋＿＿＿、夜は居間＿＿＿と使い分けています。

2）床＿＿＿座布団＿＿＿敷いて、そこ＿＿＿正座しました。

3）畳の上＿＿＿素足＿＿＿歩くと、とても快適です。

4）柔道は日本＿＿＿代表するスポーツです。

2．

重ねる	~~組み合わせる~~	敷く	たたむ	使い分ける

例：このおもちゃは、いろいろな形のものを（　組み合わせて　）、建物や乗り物などを作る。

1）わたしはいつも、ベッドではなく、布団を（　　　　　）、寝ています。

2）「は」と「が」を（　　　　　）のは難しいですね。

3）すみません、あそこにある洗濯物を（　　　　　）くれませんか。

4）洗ったお皿はふいて、テーブルの上に（　　　　　）おいてください。

ちょうど	快適	清潔	非常に	最も	印象

5）夏は湿気が多いので、台所は（　　　　　）しておかなければならない。

6）世界で（　　　　　）古い、木で造られた建物を知っていますか。奈良にある法隆寺です。

7）わたしの国にも、（　　　　　）日本の「お花見」のような習慣があります。

8）暑い夏でも、エアコンがあれば、（　　　　　）過ごせる。

9）日本語の学校で初めて先生に会ったとき、どんな（　　　　　）を持ちましたか。

3．例：クラスには中国人の学生が［何人］＿もいます。＿

1）日本文化についての本を［　　　］＿＿＿＿＿＿＿＿＿＿

2）インフルエンザで、学生が［　　　］＿＿＿＿＿＿＿＿＿＿

3）あの交差点では事故が［　　　］＿＿＿＿＿＿＿＿＿＿

4）コピーを失敗して、紙を［　　　］＿＿＿＿＿＿＿＿＿＿

~~います~~
割れた
起きた
読んでみた
むだにした
休んでいる

4．

~~あげます~~	一日中やります	泣いています	会いに来ました

例：これは　あなたに＿あげるのではありません。＿マリさんにあげるんです。

1）あなたに＿＿＿＿＿＿＿＿＿＿。田中さんに用事があるんです。

2）＿＿＿＿＿＿＿＿＿＿。目にごみが入ったんです。

3）ボランティアは＿＿＿＿＿＿＿＿＿＿。午前中だけです。

第２課

名前

文法・練習

1．例：先生に（聞きました→　聞いたら　）、わかりました。

　1）（急ぎました→　　　　　　）、電車に＿＿＿＿＿＿＿＿＿＿＿＿＿＿

　2）友達を散歩に（誘いました→　　　　　　）、＿＿＿＿＿＿＿＿＿＿＿＿

　3）弟に買い物を（頼みました→　　　　　　）、＿＿＿＿＿＿＿＿＿＿＿＿

2．例：外を（見ました→　見たら　）、雨が　降っていました。

　1）プレゼントを（開けました→　　　　　　）、＿＿＿＿＿＿＿＿＿＿＿＿

　2）うちへ（帰りました→　　　　　　）、＿＿＿＿＿＿＿＿＿＿＿＿

　3）かばんの中を（見ました→　　　　　　）、＿＿＿＿＿＿＿＿＿＿＿＿

　4）学校に（着きました→　　　　　　）、＿＿＿＿＿＿＿＿＿＿＿＿

3．例：お年玉というのは、お正月にもらうお金のことだ。

　1）エコというのは、＿＿＿＿＿＿＿＿＿＿ということだ。

　2）ふるさとというのは、＿＿＿＿＿＿＿＿＿＿ところのことだ。

　3）大阪弁というのは、＿＿＿＿＿＿＿＿＿＿ことばのことだ。

　4）無料というのは、＿＿＿＿＿＿＿＿＿＿ということだ。

~~お正月にもらいます~~
大阪の人が話します
安いです
環境を考えます
お金は要りません
自分が生まれました

4．例1：先生は何と言いましたか。［早く帰りなさい］→　早く帰るように言いました。

　例2：先生は何と言いましたか。［窓を開けないで］→　窓を開けないように言いました。

　1）お母さんに何と言われたんですか。［犬の世話をしなさい］

　→＿＿＿＿＿＿＿＿＿＿＿＿＿＿＿＿＿＿＿＿

　2）先生は何と注意しましたか。［騒いではいけません］

　→＿＿＿＿＿＿＿＿＿＿＿＿＿＿＿＿＿＿＿＿

　3）神社でどんなことをお祈りしましたか。［二人が幸せになります］

　→＿＿＿＿＿＿＿＿＿＿＿＿＿＿＿＿＿＿＿＿

　4）みんなに何と伝えましょうか。［時間に遅れません］

　→＿＿＿＿＿＿＿＿＿＿＿＿＿＿＿＿＿＿＿＿

　5）吉田さんに何とお願いしたんですか。［駅まで送ってください］

　→＿＿＿＿＿＿＿＿＿＿＿＿＿＿＿＿＿＿＿＿

5．

話	うわさ	習慣	規則	ニュース	夢	意見

例：日本でできた漢字も（あります→　あるという 話　）を聞きました。

1）神戸で国際会議が（開かれました→　　　　　　　　　　）をテレビで見ました。

2）あの二人は（結婚するかもしれません→　　　　　　　　　　）があります。

3）古いパソコンは（役に立ちません→　　　　　　　　　　）を言いました。

4）彼は自分で家を（建てます→　　　　　　　　　　）を持っています。

5）わたしの国には、女の人はこの日（働きません→　　　　　　　　　　）があります。

6．例1：大きくて、海みたいな　湖です。

例2：あの湖は海のように　大きいです。

例3：あの湖は大きくて、海みたいです。

1）とてもうれしくて、＿＿＿＿＿＿＿＿泣いてしまった。

2）試験に合格したのは＿＿＿＿＿＿＿＿

3）このお茶、＿＿＿＿＿＿＿＿味がしますね。

4）ヤンさんはまるで＿＿＿＿＿＿＿＿日本語が上手ですね。

海
夢
日本人
ニュース
子ども
薬

7．例：部屋＿で＿手紙＿を＿書きます。

1）「地球＿＿やさしい」＿＿いうのは、地球＿＿汚さない＿＿いうことです。

2）ごみ＿＿分けて出す規則＿＿守っていますか。

3）吉田さんが男＿＿かばん＿＿奪われたそうです。

4）腕＿＿つけられる携帯電話＿＿売れています。

8．

以外	結果	辺り	栄養	環境	うわさ	学習	記事	事件

例：住みやすい（　環境　）をつくるために、緑を多くしたりしている。

1）学校の窓のガラスがだれかに割られるという（　　　　　）が起きた。

2）試験ですから、机の上には鉛筆と消しゴム（　　　　　）は置かないでください。

3）日本語を（　　　　　）する人はこれからも増えるのでしょうか。

4）（　　　　　）のバランスを考えて、肉も野菜も食べたほうがいいですよ。

5）新聞で、わたしの国の首相が日本へ行くという（　　　　　）を読んだ。

6）先生の（　　　　　）をしていたら、そこに先生が来たので、びっくりした。

7）先生、昨日の試験の（　　　　　）はいつわかりますか。

話す・聞く

1．例：部屋＿で＿手紙＿を＿書きます。

1）どのくらいの人が休日＿＿＿うちにいる＿＿＿調べました。

2）雨＿＿＿場合、運動会はやめる＿＿＿書いてあります。

3）不在連絡票というのは、留守＿＿＿とき＿＿＿荷物を届けに来た＿＿＿いうお知らせ＿＿＿ことです。

4）もしもし、今いいですか。

…すみません、ちょっと。食事＿＿＿準備＿＿＿忙しいので……。またあとで。

2．

~~話しかける~~	断水	工事	休日	お宅

例：彼女は今、細かい計算をしていますから、（　話しかけ　）ないほうがいいです。

1）あしたの午後、この道路を修理する（　　　　　　）があります。そして、そのとき（　　　　　　）になって、1時間ほど水が出ないそうです。

2）あの木村さんの（　　　　　　）の前に止まっている赤い車は、娘さんのだそうです。

3）最近忙しいから、（　　　　　　）でも会社へ行かなければならないんです。

それで	ごめんください	何のことですか

4）＿＿＿＿＿＿＿＿。505号室の高橋です。…はい。ちょっとお待ちください。

5）これは「省エネ」と書いてあるんです。…しょうエネ？　＿＿＿＿＿＿＿＿

6）昨日、ワンさんから電話がありましたよ。

…そうですか。＿＿＿＿＿＿＿＿、何と言っていましたか。

3．例：高橋さんの（（お隣）　ご隣　）にいらっしゃる方はどなたですか。

1）高橋さんの（　お宅　　ご宅　）はどちらですか。

2）（　お玄関　　ご玄関　）に置いてある花瓶、すてきですね。

3）先日は（　お迷惑　　ご迷惑　）をおかけして、すみませんでした。

4）（　お協力　　ご協力　）に感謝いたします。

5）先生、（　おけが　　ごけが　）はもう大丈夫ですか。

4．例：［忙しい］→＿お忙しいところ＿、ありがとうございました。

1）［疲れました］→＿＿＿＿＿＿＿＿＿＿、すみませんが、これも運んでください。

2）［話し中］→＿＿＿＿＿＿＿＿＿＿、すみません、お電話なんですが。

3）［急いでいます］→＿＿＿＿＿＿＿＿＿＿、すみません、もう少し待ってください。

4）［楽しんでいます］→＿＿＿＿＿＿＿＿＿＿、すみませんが、もう終わりの時間です。

読む・書く

1．例：部屋＿で＿手紙＿を＿書きます。

1）みんなは「宿題が多い」＿＿＿ ＿＿＿「テストはいやだ」＿＿＿ ＿＿＿言っています。

2）日本語のカタカナのことばは、宇宙人のことばと＿＿＿ ＿＿＿思えない。

3）母は、フラダンスはフラメンコ＿＿＿同じだと思っている。

4）助詞は日本人＿＿＿は簡単なのでしょう。

5）「アポ」と言われても、何＿＿＿何だ＿＿＿わかりませんよ。

6）わたしの友人の中＿＿＿は、「コーヒー」＿＿＿「コピー」の違いがわからない人がいる。

2．

~~ゆっくり~~	例えば	普通に	いまさら	また	とんでもない
全く	いまだに	別の	正確	苦手	紛らわしい

例：どうぞ（　ゆっくり　）休んでください。

1）みんなでやろうと決めたことを（　　　　　　　）やめることはできません。

2）この呼び方はまちがえやすいから、（　　　　　　　）呼び方にしませんか。

3）子どものとき犬にかまれてから、犬が（　　　　　　　）なった。

4）そんなに丁寧じゃなくて、（　　　　　　　）話してもいいですよ。

5）父はもう 50 歳だが、祖母は（　　　　　　　）子どもみたいに思っている。

6）途中で財布を落としたことに（　　　　　　　）気がつきませんでした。

7）日本の地下鉄は本当に時間が（　　　　　　　）と言われています。

8）ヨーロッパの国、（　　　　　　　）イタリアやフランスへ行ってみたいです。

9）クラスに「ジヨンさん」と「ジョンさん」がいて、（　　　　　　　）ですね。

10）あんな人にお金を貸すなんて、（　　　　　　　）ことです。

11）ここは歴史の古い町だ。（　　　　　　　）、有名な温泉もある。

メールアドレス	アポ	アイデンティティー	ポリシー	バランス

12）パスポートで自分の（　　　　　　　）を知った。

13）あの人は忙しいから、（　　　　　　　）を取ってから行かないと会ってもらえないよ。

14）赤ちゃんは頭と体の（　　　　　　　）が悪いから、歩き方が変なんだ。

15）彼は、「できないことはできないとはっきり言う」という（　　　　　　　）を持っている。

第３課

名前

文法・練習

１．例：［早く帰りたいです］→　今日は＿早く帰らせて＿＿＿＿いただけませんか。

　１）［荷物を置きたいです］→　ここに＿＿＿＿＿＿＿＿＿＿いただけませんか。

　２）［あしたも来たいです］→＿＿＿＿＿＿＿＿＿＿いただけませんか。

　３）［質問したいです］→　ひとつ＿＿＿＿＿＿＿＿＿＿いただけませんか。

　４）［わたしが答えたいです］→　わたし＿＿＿＿＿＿＿＿＿＿いただけませんか。

　５）［わたしも意見を言いたいです］→　わたし＿＿＿＿＿＿＿＿＿＿いただけませんか。

２．「〜ことにする／した」か「〜ことになった」の言い方を書きましょう。

　１）気分が悪いから、今日は早く（帰ります→＿＿＿＿＿＿＿＿＿＿）。

　２）京都で国際会議が（開かれます→＿＿＿＿＿＿＿＿＿＿）そうだ。

　３）どうしてわたしが（出張します→＿＿＿＿＿＿＿＿＿＿）んですか。

　４）わたしはやはり車を（買いません→＿＿＿＿＿＿＿＿＿＿）。

３．「〜ことにしている」か「〜ことになっている」の言い方を書きましょう。

　１）この電車は８時に東京に（着きます→＿＿＿＿＿＿＿＿＿＿）。

　２）わたしは人からはお金を（借りません→＿＿＿＿＿＿＿＿＿＿）。

　３）いつも週末には、家族に（電話します→＿＿＿＿＿＿＿＿＿＿）。

　４）予定では部長はあしたの午後インドから（戻ります→＿＿＿＿＿＿＿＿＿＿）。

４．夫が言いたいこと、妻が言いたいことを書きましょう。

わたしの妻は……掃除しない、朝起きない、何でもすぐ買う、電話が長い

わたしの夫は……細かいことを言う、トイレが長い、給料が少ない

夫が言いたいこと

　例：掃除してほしい＿＿＿＿　　１）朝＿＿＿＿＿＿＿＿＿＿

　２）ものをすぐ＿＿＿＿＿＿＿＿　　３）電話で＿＿＿＿＿＿＿＿＿＿

妻が言いたいこと

　４）細かいことを＿＿＿＿＿＿＿＿　　５）トイレから早く＿＿＿＿＿＿＿＿＿＿

　６）もっとたくさん＿＿＿＿＿＿＿＿

5．例１：(おいしいです→　おいしそうな　）ケーキですね。

例２：　みんなは（おいしいです→　おいしそうに　）食べています。

1）雨が（降ります→　　　　　　　　　　　　　）天気ですね。

2）彼女は「合格したよ。」と（うれしいです→　　　　　　　　　　　　　）言った。

3）彼は（元気じゃありません→　　　　　　　　　　　　　）顔をしています。

4）その子は（食べたくないです→　　　　　　　　　　　　　）お皿を見ています。

5）わたしでも（できます→　　　　　　　　　　　　　）簡単な問題です。

6）赤ちゃんが気持ち（いいです→　　　　　　　　　　　　　）眠っています。

6．例１：電車がすいていて（座れる）→　座れそうです。

例２：電車が込んでいて（座れる）→　座れそうもありません。

1）道路はすいているから、時間に（間に合う）→＿＿＿＿＿＿＿＿＿＿

2）忙しくて休みは（取れる）→＿＿＿＿＿＿＿＿＿＿

3）寒い日が続いて、桜が（咲く）→＿＿＿＿＿＿＿＿＿＿

4）電池がなくなったのかな。時計が（止まる）→＿＿＿＿＿＿＿＿＿＿

7．

~~帰国~~	通勤	家庭	事情	景気	要望	数

例：リーさんは夏休みに（　帰国　）して、家族に会いたいと言った。

1）結婚したら、幸せな（　　　　　　　　）をつくってください。

2）部長が、パーティーに何人来るか、正確な（　　　　　　　　）を知りたいそうです。

3）わたしは経済のことはよくわからないけど、(　　　　　　　　）が悪いのは感じている。

4）会社に車で（　　　　　　　　）していたが、来週から電車にしよう。

5）社員が働きやすい会社にするために、社長が社員から直接（　　　　　　　　）を聞くそうだ。

6）あの二人、別れたそうですが、だれか（　　　　　　　　）を知っている人はいませんか。

しゃべる	受ける	話し合う	減らす

7）新聞社の人からインタビューを（　　　　　　　　）が、うまく答えられなかった。

8）どうしたら省エネができるか、みんなで（　　　　　　　　）ください。

9）お酒を飲む量を（　　　　　　　　）なければならないと医者に言われた。

10）ペットショップで、鳥が人間のことばを（　　　　　　　　）ので、びっくりした。

話す・聞く

1．例：どこ＿で＿先生＿に＿会いましたか。

1）部長、新製品のこと＿＿＿ご相談したいんですが。

2）「時間＿＿＿無駄＿＿＿して申し訳ありませんでした」と先生＿＿＿謝りました。

3）どう＿＿＿しましたか。…ええ、電車＿＿＿間違えてしまったんです。

4）遅れてすみません。渋滞＿＿＿車が動かなかったんです。

2．

禁煙	変更	渋滞	急用

例：ここは（　禁煙　）ですから、たばこを吸わないでください。

1）パーティーに行く予定でしたが、（　　　　　　）ができて、行けなくなりました。

2）引っ越ししたら、市役所で住所（　　　　　　）をしなければならない。

3）この時間は道路の（　　　　　　）がひどいから、時間に間に合わないだろう。

気にする	切る	代わる	取る	できれば	わざわざ

4）もしもし、「お電話、（　　　　　　）。高橋です。」

5）無理ならしかたがありませんが、（　　　　　　）あしたも来てもらえませんか。

6）先生にご相談したいことがあるので、あしたの午後、時間を（　　　　　　）いただいた。

7）テストが悪くても（　　　　　　）ないで、次のテストで頑張ろう。

8）（　　　　　　）いらっしゃったのに、主人が留守で、申し訳ありません。

申し訳ありません	かまいませんよ	困りましたね	失礼いたします

9）急用ができてしまって、お約束の時間に遅れそうなんです。

…それは（　　　　　　　　）。わたしは次の約束があるんですが。

10）わかりました。では、ミーティングはあさってに変更しましょう。

…無理を言って、（　　　　　　　　）。

11）先生の資料を見させていただけないでしょうか。

…（　　　　　　　　）。これでよければ。

3．例：授業が終わります・相談しましょう。

→ 授業が終わったあと、相談しましょう。

1）みんなが帰りました・わたしは残って仕事をしました。

→＿＿＿＿＿＿＿＿＿＿＿＿＿＿＿＿＿＿＿＿

2）その話を聞きました・いつまでも涙が止まりませんでした。

→＿＿＿＿＿＿＿＿＿＿＿＿＿＿＿＿＿＿＿＿

3）会社をやめます・しばらく田舎に住もうと思っています。

→＿＿＿＿＿＿＿＿＿＿＿＿＿＿＿＿＿＿＿＿

読む・書く

1．例：どこ＿で＿先生＿に＿会いましたか。

1）時間＿＿＿止まって欲しい＿＿＿思うときがありますか。

2）寂しさ＿＿＿感じるのはどんなときですか。

3）戦争＿＿＿避けるためにはどうすればいいでしょうか。

4）仕事が山のようにあって、死にそう＿＿＿忙しい。

5）ある会社が二十歳の女性＿＿＿、「結婚」の意識＿＿＿ついて調査をした。

2．

傾向	瞬間	意識	調査	危険

例：子どもが一人で旅行するなんて、どんな（　危険　）が待っているかもしれないのに。

1）お酒を飲む男性が減る（　　　　　　）にあると聞きましたが、ほんとうですか。

2）車と車がぶつかった（　　　　　　）の写真を撮った。

3）わたしたちはふだん、文法を（　　　　　　）しないで、ことばを話している。

4）事故が起きた原因は、今（　　　　　　）中だそうだ。

感じる	避ける	最高に	やはり	悲観的	幸せ

5）わたしはまず、健康で生きていられることが（　　　　　　）と思います。

6）彼は「自分は何をやってもだめなんだ」と、（　　　　　　）なっている。

7）首相は「それについては考えておきます。」と、はっきりした返事を（　　　　　　）た。

8）絵を見て、すばらしいと思う人も、何も（　　　　　　）ない人もいる。

9）スピーチ大会で優勝したときは（　　　　　　）うれしかった。

10）辛そうな料理だと思っていたが（　　　　　　）ずいぶん辛かった。

3．

先	場	用	室

例：（会議→　会議室　）のエアコンをつける。

1）（赤ちゃん→　　　　　　）のシャンプーはありますか。

2）サントスさんが（出張→　　　　　　）で事故にあったそうですよ。

3）先生は（事務→　　　　　　）で新聞を読んでいます。

4）これは（教育→　　　　　　）のDVDです。

5）この製品の（輸出→　　　　　　）は東南アジアが多い。

復習
第1課～第3課

名前

1．例：友達＿に＿プレゼント＿を＿あげます。

1）「コンビニ」＿＿＿ようなかたかなのことばは、外国人＿＿＿ ＿＿＿難しい。

2）きちんと座ること＿＿＿「正座」＿＿＿言います。

3）彼は、だれ＿＿＿何＿＿＿言っても、考えを変えなかった。

4）そんなことは気＿＿＿しなくてもいいと、何回＿＿＿言われました。

5）「断水」＿＿＿いう＿＿＿は、水道の水が止まる＿＿＿いうことです。

6）お急ぎ＿＿＿ところ、すみません＿＿＿、もう少しお待ちいただけません＿＿＿。

7）彼はわたし＿＿＿うそ＿＿＿ついたんです。

8）どこ＿＿＿洗ったタオル＿＿＿干しましょうか。

9）あなたの国＿＿＿日本＿＿＿どちら＿＿＿人口が多いですか。

10）どんなとき、幸せ＿＿＿感じるか、友達＿＿＿話し合いました。

2．例：少し（待ちます→　待って　）ください。

1）ごみはきちんと（分けます→　　　　　　　）もらえませんか。

2）これは紙で作った花ですが、（本物です→　　　　　　　）ようです。

3）彼の家はお城（みたいです→　　　　　　　）立派だ。

4）その問題について、みんなで（話し合います→　　　　　　　）ことになりました。

5）まりこさんはいつ（お目にかかります→　　　　　　　）もきれいな人ですね。

6）あれは（海じゃありません→　　　　　　　）て、湖ですよ。

7）甘いものが（嫌いです→　　　　　　　）のではありません。今食べたくないだけです。

8）荷物の重さを（量ります→　　　　　　　）ら、20キロもあった。

9）父は医者に、あまり（飲みすぎません→　　　　　　　）ように注意された。

10）（疲れます→　　　　　　　）ところ、すみませんが、質問があります。

11）わたしはむだなことは（しゃべりません→　　　　　　　）ことにしている。

12）あしたは運動会ですから、雨が（降りません→　　　　　　　）ほしいですね。

13）吉田さんのお姉さんは（おとなしい→　　　　　　　）そうな方ですね。

14）電気が（消えました→　　　　　　　）あと、しばらく何も見えませんでした。

15）いくら上手にうそを（つきます→　　　　　　　）も、彼女はすぐわかってしまう。

3．次のことばを入れましょう。何回使ってもいいです。

よう　　こと　　ところ　　そう　　あと

1）日本語で日記を書く（　　　　）は、いい勉強になります。

2）道具を使った（　　　　）、きちんと戻しておいてください。

3）忙しくて、休みが取れ（　　　　）もありません。
4）1年勉強しただけでN1に合格するのは、すごい（　　　　）だ。
5）わたしもあの二人の（　　　　）に幸せになりたいです。
6）「故障」というのは、壊れているという（　　　　）です。
7）先生はわたしに、教室で待つ（　　　　）に言いました。
8）お忙しい（　　　　）、いろいろありがとうございました。
9）予定では10時に京都に着く（　　　　）になっています。

4．例：［(寝坊)　遅刻　昼寝］して、学校に遅れてしまった。
1）日本語を勉強する人が減る［記事　傾向　欠点］にあるそうだ。
2）自分の気持ちを日本語で［表現　案内　意識］するのは難しい。
3）あのパーティーはいろいろな国からの留学生と［推薦　交流　紹介］するいい機会だ。
4）先生や部長など［先輩　教授　目上］の人とは、丁寧な話し方をする。
5）映画の最後の場面が強く［印象　表現　自身］に残っている。
6）多くの市民の［夢　意識　要望］で、あの図書館ができたんです。
7）いつも［栄養　カロリー　ダイエット］のバランスを考えて料理を作っています。
8）パーティーでわたしは司会を［発表　担当　出席］した。
9）結婚したら、幸せな［家庭　お宅　居間］をつくってください。
10）山田さんはどんな［要望　結果　事情］で会社をやめたんですか。
11）会議を木曜日から金曜日に［転勤　変更　用意］するという連絡を受けた。
12）何でもすぐあきらめてしまうのが、わたしの［欠点　違反　故障］だと思います。
13）自分の国のことばは、ふだんほとんど［意識　希望　経験］しないで使っている。
14）ある新聞社が若い人に「幸せだと感じているか」という［傾向　発表　調査］を行った。［結果　記事　意識］は、「はい」が68％だったそうだ。

5．

~~書く~~	敷く	たたむ	ふく	干す	感じる
受ける	減らす	動かす	断る	迷う	重ねる

例：レポートを（ 書いた ）んですが、見ていただけませんか。
1）交通事故はなくならないかもしれないが、（　　　　）ことはできる。
2）どうぞ、座布団を（　　　　）、座ってください。
3）洗濯物を（　　　　）、タンスにしまっておく。
4）ずっと座って仕事をしていたので、少し体を（　　　　）うと思う。
5）彼はマリさんに結婚を申し込んだが、（　　　　）れたそうだ。
6）先生に初めて会ったとき、とても親切そうな方だと（　　　　）た。
7）この靴とあっちの靴と、どっちがいいか、（　　　　）しまいます。
8）窓ガラスは新聞紙で（　　　　）と、きれいになりますよ。

9）お皿は２枚ずつ（　　　　　　）、テーブルに並べてください。

6．

~~忙しい~~	伝統的	おとなしい	幸せ	正確	清潔
明るい	快適	立派	苦手	紛らわしい	悲観的

例：あしたは（　忙しく　）ないです。暇です。

1）かたかなの「シ」と「ツ」は（　　　　　　　）ので、気をつけましょう。

2）彼女は太陽のように（　　　　　　　）て、みんなに人気があります。

3）これは千年以上も前から続いている、（　　　　　　　）お祭りです。

4）日本の電車の時間は、とても（　　　　　　　）と言われています。

5）お母さんは子どもに「バスの中では（　　　　　　　）座っていなさい」と言った。

6）わたしの仕事場は、窓が大きくて明るく、空気もきれいで、（　　　　　　　）ところだ。

7）けがをしたところは、（　　　　　　　）しておいたほうがいいです。

8）何をやっても失敗ばかりして、（　　　　　　　）なってしまいそうだ。

9）わたしは子どものころから歌うのが（　　　　　　　）で、カラオケも大嫌いだ。

10）あの大きくて（　　　　　　　）建物はどこかの大使館だそうだ。

7．例：あしたは［ぜひ　（きっと）　はっきり］天気がいいでしょう。

1）ごみ箱のごみが［いっぱい　多く　よく］ですから、捨ててください。

2）店に忘れた傘を、店の人が［今にも　できれば　わざわざ］持って来てくれた。

3）駅から近くて便利なアパートは［いまさら　やはり　あまり］高いですね。

4）服は自由ですが、［必ず　できれば　きっと］Tシャツなどはやめてください。

5）［いつまでも　いつまで　これまで］泣いていないで、元気を出しましょう。

6）「おはよう」という声を聞いた［間　瞬間　途中］、姉だとわかった。

7）父は［今にも　いまさら　いまだに］そういう古い考えを持っているようだ。

8）お金は要らないと言ったんだから、［いまさら　たった今　今にも］くれとは言えない。

9）わたしの国は今、［ちょうど　ちゃんと　きちんと］日本の梅雨のような季節です。

10）公園は［何とか　まるで　今にも］お祭りのようににぎやかでした。

11）着物を着た彼女を見たとき、［全く　やはり　もっとも］違う人かと思った。

12）おばあさんは［非常に　ふだん　まるで］、うちでは着物を着ている。

8．例：ありがとうございました。…（　a　）

1）（　　　）…わかりました。引(ひ)き受(う)けましょう。

2）電子辞書(でんしじしょ)を貸(か)していただけますか。…（　　　）

3）いろいろ教(おし)えていただいて、助(たす)かりました。…（　　　）

4）これ、クリーニングをお願(ねが)いします。…（　　　）

5）電車(でんしゃ)が遅(おく)れて、約束(やくそく)の時間(じかん)に行(い)けないかもしれません。…（　　　）

6）（　　　）…いいえ、あまり気(き)にしないでください。

7）お忙(いそが)しいところ、ちょっとすみません。…（　　　）

~~a．どういたしまして~~。
b．困(こま)りましたね。
c．これでよければどうぞ。
d．申(もう)し訳(わけ)ありませんでした。
e．お預(あず)かりします。
f．この仕事(しごと)、何(なん)とかお願(ねが)いできますか。
g．お役(やく)に立(た)ててよかったです。
h．どうぞおいでください。
i．はい、何(なん)でしょうか。

第４課

名前

文法・練習

１．ニューヨークのダンさんから来たメールです。

ニューヨークは　例）毎日暑いですが、１）わたしは元気です。ニューヨークは２）先週大雨でした。そのとき壊れた屋根を３）修理しなければなりません。ところで、来月大阪へ行きますから、４）ぜひあなたに会いたいです。また、連絡します。

例：ニューヨークは＿毎日暑い＿ということです。

１）＿＿＿＿＿＿＿＿＿＿＿＿＿＿＿＿＿＿＿＿ということです。

２）ニューヨークは＿＿＿＿＿＿＿＿＿＿＿＿＿＿＿＿＿＿＿＿ということです。

３）屋根を＿＿＿＿＿＿＿＿＿＿＿＿＿＿＿＿＿＿＿＿＿＿＿＿ということです。

４）＿＿＿＿＿＿＿＿＿＿＿＿＿＿＿＿＿＿＿＿ということです。

２．例：雨が降っていますよ。　→雨が＿降ってますよ。＿

１）これ、壊れてしまったんです。　→これ、＿＿＿＿＿＿＿＿＿＿＿＿＿＿＿

２）道具は片づけておいてください。　→道具は＿＿＿＿＿＿＿＿＿＿＿＿＿＿＿

３）もう少し待っていよう。　→もう少し＿＿＿＿＿＿＿＿＿＿＿＿＿＿＿

３．例：これは三百年ほど前の（話です→　話である　）。

１）これは時間の（むだです→　　　　　　　　　　）という意見があった。

２）祖父はうそをつくのが（大嫌いでした→　　　　　　　　　　）。

３）事故の原因が（何ですか→　　　　　　　　　　）、調査しているところだ。

４）その話が（本当だったら→　　　　　　　　　　）、おもしろいと思う。

４．例：子どもがおもちゃを（欲しいです→　欲しがって　）います。

１）孫が帰ってしまって、おじいさんは（寂しいです→　　　　　　　　　　）います。

２）（恥ずかしいです→　　　　　　　　　　）ないで、ちゃんとあいさつしましょう。

３）子どもが（食べたい→　　　　　　　　　　）から、お菓子をしまってください。

４）弟は何をしても（負けたくないです→　　　　　　　　　　）性格だ。

5．例：お母さんは子どもに「野菜を食べなさい。」と言いました。

　　→子どもは（　お母さんに　）　野菜を食べさせられました。

1）ヤンさんはわたしに「1時間待って。」と言いました。

　　→わたしは（　　　　　　　）＿＿＿＿＿＿＿＿＿＿＿＿＿＿＿＿

2）友達はわたしに「弁当代を払っといて。」と言いました。

　　→わたしは（　　　　　　　）＿＿＿＿＿＿＿＿＿＿＿＿＿＿＿＿

3）母は妹に「お茶を入れて。」と言いました。

　　→妹は（　　　　　　　）＿＿＿＿＿＿＿＿＿＿＿＿＿＿＿＿

4）先生はわたしに「国のことを話してください。」と言いました。

　　→わたしは（　　　　　　　）＿＿＿＿＿＿＿＿＿＿＿＿＿＿＿＿

5）部長は社員に「残業してください。」と言いました。

　　→社員は（　　　　　　　）＿＿＿＿＿＿＿＿＿＿＿＿＿＿＿＿

6）彼女はわたしに「荷物を運んで。」と言いました。

　　→わたしは（　　　　　　　）＿＿＿＿＿＿＿＿＿＿＿＿＿＿＿＿

6．例：彼は足が長い。背が高い。→彼は　足が長く、背が高い。

1）その答えが正しい。これはまちがいだ。

　　→その答えが＿＿＿＿＿＿＿＿＿＿＿＿＿＿＿＿＿＿＿＿

2）昼は会社に通った。夜は大学で勉強した。

　　→昼は＿＿＿＿＿＿＿＿＿＿＿＿＿＿＿＿＿＿＿＿

3）彼女はかわいい。ピアノが弾ける。生け花もできる。

　　→彼女は＿＿＿＿＿＿＿＿＿＿＿＿＿＿＿＿＿＿＿＿

4）みんなは若い。健康である。将来が楽しみだ。

　　→みんなは＿＿＿＿＿＿＿＿＿＿＿＿＿＿＿＿＿＿＿＿

7．例：何でも（おいしい→　おいしいことは　）いいことだ

1）子どもが携帯電話を（持ちます→　　　　　　　　　　　）ついて、どう思いますか。

2）ここで写真を（撮ってはいけません→　　　　　　　　　　　）知らなかった。

3）勉強が（大変です→　　　　　　　　　　　）わかるが、やはり頑張らないと。

4）病気の原因が（働きすぎ→　　　　　　　　　　　）確かなようだ。

5）オランダ人が世界でいちばん（背が高いです→　　　　　　　　　　　）本で読んだ。

話す・聞く

1．例：どこ＿で＿先生＿に＿会いましたか。

1）都合＿＿＿急に大学をやめること＿＿＿なりました。

2）このまま＿＿＿よろしければ、「1」を押してください。

3）仕事＿＿＿入ったので、レストランの予約＿＿＿取り消した。

4）留守番電話＿＿＿メッセージ＿＿＿入れた。

2．

~~書く~~	急	取り消す	そのように	売り切れ	あいにく

例：レポートを（　書いた　）んですが、見ていただけませんか。

1）すみません、さっき電話で申し込んだ予約を（　　　　　）たいんですが。

2）あの店のパンは安くておいしいから、すぐ（　　　　　）になってしまう。

3）すみません、（　　　　　）用事ができて、今晩そちらに行けなくなっちゃったんです。

…そうですか、じゃ、みんなに（　　　　　）伝えておきますね。

4）すみません。（　　　　　）チリソースはこちらには置いておりませんが。

3．例：会議が（終わったら→　終わりましたら　）、お電話をください。

1）空港に（着いたら→　　　　　　　　　　　）、すぐ連絡いたします。

2）田中様、（いらっしゃったら→　　　　　　　　　　　）、受付までご連絡ください。

3）（無理だったら→　　　　　　　　　　　）、全部食べなくてもけっこうです。

4）（ご存じだったら→　　　　　　　　　　　）、教えていただけませんか。

4．例：まりこが結婚します。まりこはわたしの妹です。

→＿妹のまりこ＿が結婚します。

1）先週「北京」へ行きました。「北京」はレストランの名前です。

→先週＿＿＿＿＿＿＿＿＿＿＿＿＿＿へ行きました。

2）この漢字は「あめ（飴）」と読みます。降る雨じゃなくて、キャンディーです。

→この漢字は＿＿＿＿＿＿＿＿＿＿＿＿＿＿です。

3）「ヲ」はかたかなですね。これは今は使わないんですか。

→＿＿＿＿＿＿＿＿＿＿＿＿＿＿は今は使わないんですか。

4）では、エイさんに質問しましょう。エイさんは留学生です。

→では、＿＿＿＿＿＿＿＿＿＿＿＿＿＿に質問しましょう。

読む・書く

1．例：どこ＿で＿先生＿に＿会いましたか。

1）彼は友人の結婚式＿＿＿出席できない＿＿＿を残念がっている。

2）論文を雑誌＿＿＿発表した。

3）山本さん＿＿＿も読んでもらいたい＿＿＿思って電話をした。

4）わたしと彼女＿＿＿間＿＿＿は、とてもおもしろい話があるんです。

5）飲みたく＿＿＿ない酒を無理に飲まされるのはいやだ。

6）どうしてそんなに腹＿＿＿立てているんですか。

2．

～さ	～者	～後	～嫌い	～状

例：祖父は昔から（　電話　→　電話嫌い　）だった。

1）運動会の（　参加　→　　　　　　）は毎年増えている。

2）彼が亡くなって（　数か月　→　　　　　　）、彼の曲が発表された。

3）あの図書館は夜遅くまで開いているので、（　利用　→　　　　　　）が多い。

4）父は歴史を勉強することの（　おもしろい　→　　　　　　）を教えてくれました。

5）弟は（　おふろ　→　　　　　　）で、いつも母にしかられていた。

6）先生に運動会の（　案内　→　　　　　　）を出すんですが、書き方を教えてくれませんか。

3．

勧める	つなぐ	~~取り付ける~~	味わう	しつこい

例：車に赤ちゃん用のいすを（　取り付けて　）もらった。

1）先生にいい辞書はないか相談したら、この辞書を（　　　　　　）くださった。

2）わたしに電話がかかってきたら、わたしの部屋に（　　　　　　）もらえますか。

3）知らない男から（　　　　　　）電話が来るので、警察に連絡した。

4）ふるさとへ帰って、久しぶりに母の料理を（　　　　　　）た。

それから	失礼	早速	結局	絶対に

5）友達から手紙が来た。（　　　　　　）開けてみると、結婚式の招待状だった。

6）1時に会議が始まった。（　　　　　　）7時間、会議はまだ続いている。

7）いろいろあって、（　　　　　　）二人は離婚したそうです。

8）いくらお金に困っても、悪いことは（　　　　　　）しない。

9）女性に年齢を聞くのは（　　　　　　）ことですよ。

第5課

名前

文法・練習

1．例：やまとホテル？（（そこ）　あそこ　）は、どんなホテルなんですか。

1）母は30年まえに、パリへ行きました。（　その　　あの　）とき会った男の人が、今の父です。

2）あれを見てください。すごい車が走っていますよ。
…本当だ。わたしも（　そんな　　あんな　）車がほしいな。

3）昨日魚になった夢を見ました。でも、（　そこ　　あそこ　）は小さい池だったんです。

4）この間バンコックへ行ったとき、まりこさんに会いましたよ。
…同じクラスだったまりこさん？（　その　　あの　）人、タイへ行っていたんですか。
ええ、今度、タイの方と結婚すると言っていましたよ。
…へえ、（　それ　　あれ　）は知りませんでした。

2．例：この味、薄いですか。　…ええ、ちょっと薄いんじゃないですか。

1）すごい雨ですが、試合は無理ですか。…ええ、________________

2）パスポート、要りますか。…いいえ、________________

3）先生はもう帰りましたか。…ええ、たぶん________________

3．例：100mほど（行く→　行ったところに　）本屋がありますよ。

1）駅を（出る→　　　　　　）待っていてください。

2）銀行ですか。あの角を右へ（曲がる→　　　　　　）ありますよ。

3）橋を（渡る→　　　　　　）ガソリンがなくなってしまった。

4．例：電車に（乗る→　乗ろう　）としたら、［　d　］。

1）道を（渡る→　　　　）としたら、［　　］。

2）お金を（払う→　　　　）とすると、［　　］。

3）シャワーを（浴びる→　　　　）としたが、
ドアに［　　］。

4）かばんを（持つ→　　　　）としたとき、［　　］。

a．財布がなかった
b．「故障」と書いてあった
c．ひもが切れた
~~d．ドアが閉まった~~
e．信号が変わった

5．例：あのときの事故は忘れようとしても、なかなか忘れられない。

1）1個1000円のチョコレートは________________、なかなか________

2）好きな人に「好きだ」と________________、なかなか________

3）こんなにすばらしい文章は________________、なかなか________

6．

> さあ、今日ご紹介するのは、「スーパー・ダイエット」。これは 例）すごいですよ。これがあれば、1）1週間でやせられます。あの2）有名なアメリカの俳優も 3）使っていますよ。普通なら1台5万円ですが、今日は特別に、なんと3万5千円！ 4）今日しか申し込めませんから、できるだけ早くお電話を！

例：　何が＿すごいのだろうか。＿

1）本当に1週間で＿＿＿＿＿＿＿＿＿＿＿＿＿＿＿＿＿＿＿＿

2）あの俳優、そんなに＿＿＿＿＿＿＿＿＿＿＿＿＿＿＿＿＿＿＿＿

3）本当にあの俳優も＿＿＿＿＿＿＿＿＿＿＿＿＿＿＿＿＿＿＿＿

4）なぜ今日しか＿＿＿＿＿＿＿＿＿＿＿＿＿＿＿＿＿＿＿＿

7．例：彼女と約束しました。　→（　彼女との約束　）は忘れません。

1）家族に手紙を書きました。　→（　　　　　　　　　　）は昨日出しました。

2）電車は大阪まで行きます。　→（　　　　　　　　　　）に乗りました。

3）吉田さんにお土産をもらいました。　→（　　　　　　　　　　）はケーキでした。

4）説明は会議でしますから、聞いてください。　→（　　　　　　　　　　）を聞いてください。

8．例：あの部屋にだれかいますか。

…はい、＿電気がついています＿から、＿いるだろう＿と思います。

1）ユウさんはあした学校へ来ますか。

…はい、＿＿＿＿＿＿＿＿＿＿から、＿＿＿＿＿＿＿＿＿＿と思います。

2）ケイさんが作った料理はどうでしょうか。

…＿＿＿＿＿＿＿＿＿＿から、＿＿＿＿＿＿＿＿＿＿と思います。

3）Aさん（あなたがよく知っている人）は、今何をしていますか。

…＿＿＿＿＿＿＿＿＿＿から、＿＿＿＿＿＿＿＿＿＿と思います。

9．例：部屋＿で＿手紙＿を＿書きます。

1）例＿＿＿挙げて説明してください。

2）吉田さん＿＿＿ ＿＿＿わたしに電話＿＿＿かかってきた。

3）山本さんは本当にお母さん＿＿＿そっくりですね。

4）ここからあの大きな木が見えるところ＿＿＿ ＿＿＿走ろう。

話す・聞く

1．例：部屋 で 手紙 を 書きます。

1）市役所まで_____行き方を教えてください。

2）川_____沿って、桜が植えてあります。

3）道_____横_____川が流れている。

4）お茶を入れてきます_____ _____、こちらでお待ちください。

5）受付はあの入り口_____入ったところにあります。

6）ここ_____まっすぐ行くと、道が２つ_____分かれていますから、左_____行ってください。

2．

~~渡る~~	沿う	出る	分かれる	流れる

例：あの橋を（ 渡って ）、100m ぐらい行ってください。

1）あ、道が（　　　　　）いますね。どちらへ行けばいいですか。

2）町の中央を大きな川が（　　　　　）います。

3）こちらの細い道を行けば、駅の後ろに（　　　　　）はずです。

4）この方法に（　　　　　）実験を進めていこう。

横断歩道	突き当たり	道順	芸術	～先	向こう側

5）駅の前の大きな地図に、お寺への（　　　　　）が書いてあった。

6）郵便局なら、あの橋を渡ってください。川の（　　　　　）にありますから。

7）そこはだめですよ。道を渡るときはちゃんと（　　　　　）を行かないと。

8）わたしは音楽や絵などの（　　　　　）が全くわかりません。

9）山の中で天気が悪くなり、10 メートル（　　　　　）も見えなかった。

10）公園へ行きたいんですが、この道でいいですか。

…ええ、しばらく行くと、（　　　　　）に公園がありますよ。

3．例：今薬を持って来ますから、 待っていて ください。

1）あそこにごみ置き場がありますから、_______________ください。

2）建物の後ろに駐車場がありますから、_______________ください。

3）事務所にパンチがありますから、_______________ください。

4）ここを大学へ行くバスが通りますから、_______________ください。

読む・書く

1．例：部屋＿で＿手紙＿を＿書きます。

1）このファクスは、送りたい側＿＿＿裏＿＿＿して送ってください。

2）年賀状＿＿＿写真＿＿＿使うようになったのはいつごろからでしょうか。

3）子どものとき、花＿＿＿観察する＿＿＿が好きだった。

4）日本は南北＿＿＿長い国だ。

5）地図は普通、北＿＿＿上＿＿＿してかかれる。

2．

上下	左右	差別	平等	表れ	位置	常識	人間	中央	~~文句~~

例：学生は宿題が多すぎると（　文句　）を言っている。

1）相手の文化のレベルが低いという理由で（　　　　　　）してはいけない。人は、どんな人でも、（　　　　　　）でなければならない。

2）人に何かしてもらったら、お礼を言うのは（　　　　　　）だ。

3）絵を（　　　　　　）（　　　　　　）逆にして見ると、新しい発見がある。

4）動物には、わたしたち（　　　　　　）には聞こえない音を聞くことができるのもいる。

5）わたしが住んでいるアパートの（　　　　　　）を地図で確かめたら、ほとんど町の（　　　　　　）だった。

逆に	使用する	観察する	努力する	無意識に	わざと	少なくとも

6）弟はゲームで負けるとすぐ泣くので、（　　　　　　）負けてやった。

7）今度の出張では（　　　　　　）60万円は必要になるだろう。

8）日本は2月は冬だが、（　　　　　　）ブラジルは夏だ。

9）動物園で働く人はいつも動物の様子を（　　　　　　）いる。

10）机やいすを（　　　　　　）たら、元のところに戻しておいてください。

11）いくら「やろう」と思っても、実際に（　　　　　　）なかったら、意味がない。

12）友達と話していると、時々（　　　　　　）日本語を使うことがある。

3．例：あれ（(は)　の）吉田さん（(が)　(の)）かいた絵です。

1）あなた（　は　　の　）かけた電話番号（　は　　が　）間違っていますよ。

2）一匹の、おなか（　が　　の　）すいた犬（　が　　の　）歩いていました。

3）子どもたち（　は　　の　）お父さん（　は　　の　）帰るのを待っています。

4）だれも先生（　が　　の　）言ったこと（　が　　の　）わかりませんでした。

第6課

名前

文法・練習

1．例：これは何と読むんですか。［きんえん］　…＿きんえんって＿読むんです。

　1）彼女は何か言ってましたか。［幸せです］　…ええ、＿＿＿＿＿＿＿＿言ってました。

　2）ポンさんが「コープクン」と言いましたね。［ありがとう］

　　…ああ、それはタイ語で、＿＿＿＿＿＿＿＿＿＿＿＿＿意味だそうです。

　3）「善は急げ」というのは何ですか。［いいことは急いでやりましょう］

　　…＿＿＿＿＿＿＿＿＿＿＿＿＿＿＿＿＿＿＿＿＿＿＿＿＿＿ことです。

2．「～つもりはありません」か、「～つもりでした」を使って書きましょう。

　1）パソコンを買いますか。…いいえ、お金がないので、＿＿＿＿＿＿＿＿＿＿＿＿

　2）買い物に行かないんですか。…＿＿＿＿＿＿＿＿＿＿＿＿が、急用ができてしまって…。

　3）彼にお金を貸しますか。…あんな悪い人に＿＿＿＿＿＿＿＿＿＿＿＿

　4）やはり宿題を出すことにしました。…えっ、＿＿＿＿＿＿＿＿＿＿＿＿んですか。

3．「～たつもり」か、「～ているつもり」を使って、書きましょう。

　1）あの服を買いましたか。…いいえ、＿＿＿＿＿＿＿＿＿＿で、そのお金を貯金しました。

　2）何をかいているの？　それは猫の絵？　…ちがうよ。僕は馬を＿＿＿＿＿＿＿＿＿＿なんだよ。

　3）勉強、もっと頑張らないとね。…自分では＿＿＿＿＿＿＿＿＿＿なんですが…。

　4）この料理、辛い！　…え、辛くなく＿＿＿＿＿＿＿＿＿＿だけど、そんなに辛い？

4．例：妹は本が好きで、＿本ばかり＿読んでいる。

　1）＿＿＿＿＿＿＿＿＿＿＿＿食べていないで、野菜も食べたほうがいいですよ。

　2）暑いので＿＿＿＿＿＿＿＿＿＿＿＿飲んでいたら、おなかが痛くなった。

　3）彼は＿＿＿＿＿＿＿＿＿＿＿＿考えて、ほかの人のことはぜんぜん考えない。

　4）おじさんは＿＿＿＿＿＿＿＿＿＿＿＿お菓子をあげて、僕には何もくれなかった。

5．例：うちの猫は＿寝てばかり＿いて、ぜんぜん役に立たない。

　1）＿＿＿＿＿＿＿＿＿＿＿＿いないで、少し休まないと、体に悪いですよ。

　2）あなたが＿＿＿＿＿＿＿＿＿＿＿＿いないで、わたしの話も聞いてください。

　3）わたしはいつも先生に＿＿＿＿＿＿＿＿＿＿＿＿いる。たまには褒められたい。

　4）さあ、涙をふいて。＿＿＿＿＿＿＿＿＿＿＿＿いないで、どうしたのか言ってください。

6．例：アフリカの国、たとえばケニアとか、＿エジプトとか＿に　行ってみたい。

1）味の言い方には＿＿＿＿＿＿＿＿＿＿、＿＿＿＿＿＿＿＿＿＿があります。

2）ダイエットは、ジョギングするとか、＿＿＿＿＿＿＿＿＿＿しています。

3）ここでたばこを吸うとか、＿＿＿＿＿＿＿＿＿＿、しないでください。

4）そんなに暇なら、＿＿＿＿＿＿＿＿＿＿、＿＿＿＿＿＿＿＿＿＿したらどうですか。

7．例：隣の部屋から、ギターの音が＿聞こえてき＿ました。

1）台所からすき焼きのにおいが＿＿＿＿＿＿＿＿＿＿ます。

2）新幹線が東京に近づくと、東京タワーが＿＿＿＿＿＿＿＿＿＿ました。

3）日本語があまりわからなかったが、勉強を続けると＿＿＿＿＿＿＿＿＿＿ました。

4）昼は暖かいでしょうが、夜になると、＿＿＿＿＿＿＿＿＿＿ますよ。

8．例1：海の向こうに飛行機が＿飛んでいき＿ました。

例2：お金を入れたのに、飲み物が＿出てき＿ません。

1）大きい犬がゆっくり＿＿＿＿＿＿＿＿とき、本当に怖かった。

2）変な男があの建物に＿＿＿＿＿＿＿＿のを見ました。

3）いっしょに遊んだ友達が遠くの町に＿＿＿＿＿＿＿＿しまった。

4）お父さんが「ただいま」と＿＿＿＿＿＿＿＿と、子どもたちは

「お帰り」と言いながら、玄関のほうへ＿＿＿＿＿＿＿＿ました。

~~飛ぶ~~ 引っ越す 帰る ~~出る~~ 近づく 入る 走る

9．例：どこ＿で＿先生＿に＿会いましたか。

1）失敗すること＿＿＿いろいろなこと＿＿＿学ぶものです。

2）入社試験＿＿＿合格したが、その会社＿＿＿は、就職しなかった。

3）飛行機が名古屋空港＿＿＿着陸する＿＿＿は14時です。

4）彼女は手＿＿＿振りながら、ゆっくりタラップ＿＿＿降りてきた。

10．

就職	一生	~~遠く~~	着陸	学ぶ	振る

例：ずっと（　遠く　）に富士山が見える。

1）皆さんにお世話になったことは（　　　　　　　）忘れません。

2）大学を卒業する人たちが一生懸命（　　　　　　　）先を探している。

3）彼女は「また、あしたね」と手を（　　　　　　　）ながら、帰っていった。

4）留学したら、ことばだけでなく、文化などいろいろなことを（　　　　　　　）たい。

話す・聞く

1．例：どこ＿で＿先生＿に＿会いましたか。

1）選手のトレーニング＿＿＿新しい方法＿＿＿取り入れることにした。

2）あしたの予定＿＿＿あさって＿＿＿延期します。

3）自分の手＿＿＿チャンス＿＿＿つかんだ。

4）会社＿＿＿社員研修＿＿＿制度があると聞いた。

5）どんな条件＿＿＿アルバイトをしているんですか。

2．

禁煙	交渉	期間	条件	週	授業料	延期	制度	担当

例：ここは（ 禁煙 ）ですから、たばこを吸わないでください。

1）会社の費用で研修に参加したいので、課長に（　　　　　　）してみた。

2）アルバイトの時間や給料など、（　　　　　　）はどうなっていますか。

3）今日の試合は中止じゃなく、あさってに（　　　　　　）になったそうだ。

4）新製品の営業を（　　　　　　）したいと上司に申し出ました。

5）あの道路はあしたから工事が始まります。（　　　　　　）は1週間です。

6）その日本語学校は、来年から（　　　　　　）を3%下げることにしたそうだ。

7）山本先生は（　　　　　　）に3回、月・火・金に来ます。

買い換える	つかむ	取り入れる	出す

8）やっと好きな人とデートするチャンスを（　　　　　　）と喜んだら、夢だった。

9）もう冷蔵庫が古くなったので、そろそろ（　　　　　　）ほうがよさそうだ。

10）セミナー参加の費用は会社が半額（　　　　　　）くれた。

11）日本はヨーロッパの医学技術を（　　　　　　）ことに成功した。

行かせてほしいんですが	無理なら	ことなんですが	よろしいでしょうか

12）課長、今ちょっと（　　　　　　）。実は、講演会の（　　　　　　）、
この講演は今のわたしの仕事に役に立つと思いますので、（　　　　　　）。
できましたら、会社の費用で行かせていただけないでしょうか。もし全額が（
　　　　）、半額でもお願いできないでしょうか。

読む・書く

1．例：どこ＿で＿先生＿に＿会いましたか。

1）電車が駅＿＿＿近づくと、みんな降りる用意＿＿＿始めた。

2）そう考える＿＿＿、人間は小さなもの＿＿＿見えませんか。

3）目＿＿＿閉じて、静かに過去の自分＿＿＿向き合ってみる。

4）自分＿＿＿は、ちゃんとプラン＿＿＿立てたつもりだった。

2．

禁煙	解決	想像	現在	会見	過去	理想	世の中	具体的	イメージ

例：ここは（　禁煙　）ですから、たばこを吸わないでください。

1）この動物は実際にはいない。人間が（　　　　　）した動物だ。

2）あの二人、けんかしたそうだけど、問題は（　　　　　）したんですか。

3）「あなたの（　　　　　）の結婚相手は？」と聞かれ、「先生みたいな人」と答えた。

4）赤い色からどんなことを（　　　　　）しますか。　…わたしは火ですね。

5）説明だけではわかりにくいから、（　　　　　）例も挙げてくれませんか。

6）そんな怖い事件が（　　　　　）にあったんですか。

7）あなたの考え方は子どもみたいだ。（　　　　　）はもっと厳しいよ。

指す	見える	閉じる	立てる	近づく	向き合う	同じような

8）新しい社員の研修をするので、そのプランを（　　　　　）いるところです。

9）二人で（　　　　　）座ったら、相手の顔をよく見てください。

10）かわいい犬でしょう？　怖がらないで。もっと（　　　　　）も大丈夫だよ。

11）時計の針がちょうど3時を（　　　　　）いる。

12）彼女は「あ、もうこんな時間か」と言うと、読んでいた本を（　　　　　）て、ベッドに入った。

13）2本の線をよく見てください。上の線のほうが長く（　　　　　）けど、実は長さは同じなんです。

3．質問に答えましょう。

1）祖母がこんなことを言った。「わたしも若い時は男の人に人気があったんだよ。」

「こんなこと」はどんなことですか。→＿＿＿＿＿＿＿＿＿＿＿＿＿＿＿＿

2）こんなうわさがあるんですが、先生が学校をやめるって、本当ですか。

「こんなうわさ」は何ですか。→＿＿＿＿＿＿＿＿＿＿＿＿＿＿＿＿

3）こんなことばを聞きました。男が泣くのは一生で3回だけ。この3回はいつですか。

「こんなことば」は何ですか。→＿＿＿＿＿＿＿＿＿＿＿＿＿＿＿＿

復習（ふくしゅう）
第4課～第6課

名前

1．例：どこ＿で＿先生＿に＿会いましたか。

1）吉田さん、こちらは友人＿＿＿ポンさんです。タイ＿＿＿ ＿＿＿の留学生です。

2）その箱は、階段＿＿＿おりたところ＿＿＿置いといてください。

3）暇なら、掃除する＿＿＿ ＿＿＿、勉強する＿＿＿ ＿＿＿したらどうですか。

4）電話ですよ。だれ＿＿＿電話＿＿＿出てください。

5）留守番電話＿＿＿メッセージ＿＿＿いれた。

6）ここ＿＿＿まっすぐ行く＿＿＿駅の前＿＿＿出ますよ。

2．例：窓を（開けます→　開けて　）ください。

1）わかりました。昨日（着きました→　　　　　　　）ということですね。

2）お父さんは子どもにおもちゃを（買いました→　　　　　　　）されました。

3）弟も日本へ（来たいです→　　　　　　　）がっています。

4）（無理です→　　　　　　　）ことはわかりますが、何とかお願いします。

5）いろいろ教えて（くださる→　　　　　　　）まして、ありがとうございました。

6）まりこさんは料理が（苦手→　　　　　　　）んじゃないですか。

7）郵便局は川の向こう、橋を（渡ります→　　　　　　　）ところにありますよ。

8）コップを（ふきます→　　　　　　　）うとしたとき、割れているのに気がついた。

9）彼は自分の間違いを（認めます→　　　　　　　）うとしないんです。

10）どうしてそんなにたくさんお金が（必要です→　　　　　　　）のでしょうか。

11）もうすぐ彼から電話が（かかってきます→　　　　　　　）だろうと思います。

12）マリさんは結婚の話を（断りました→　　　　　　　）て言ってましたよ。

13）そのことは人に（しゃべります→　　　　　　　）つもりはなかったんですが、……。

14）父はいつまでも（若いです→　　　　　　　）つもりでいるらしい。

15）彼女は2週間前に日本へ（来ました→　　　　　　　）ばかりなのに、もう寂しくて、毎日（泣きます→　　　　　　　）ばかりいる。

16）彼は健康が（不安です→　　　　　　　）とか、飲む量を（減らさなければなりません→　　　　　　　）とか言いながら、飲んでいる。

17）最近（太ります→　　　　　　　）きたみたいだ。気をつけないと…。

18）バスが海に（近づきます→　　　　　　　）くると、海のにおいがしてきた。

3．例：どうぞ［ゆっくり　はっきり　だんだん］休んでください。

1）山下先生は今、［あいにく　もともと　絶対に］会議中なんですが。

2）アルバイトでは［ちょうど　もともと　少なくとも］1時間1000円は欲しい。

3）弟とゲームをして、［自然に　わざと　わざわざ］負けてやることにした。

4）昨日買った服を、［お先に　さっそく　たった今］着て行こうと思う。

5）あの人はわたしの父の姉、［そこで　つまり　結局］おばさんです。

6）ここは［もともと　そっくり　まるで］海だったが、埋め立てて、工場を建てた。

7）けがをしたところは、何もしなくても［ちょうど　いまさら　自然に］治りますよ。

8）日本での楽しい思い出は［いまさら　一生　できれば］忘れられません。

9）一度頼まれて断ったが、いろいろ言われて［結局　わざと　あいにく］その仕事を引き受けることになった。

4．

正確	美しい	急	嫌い	苦しい	残念	しつこい	失礼
遠い	不安	深い	平等	不思議	具体的	暗い	

例：日本の電車の時間はとても（　正確だ　）と言われている。

1）川はここから（　　　　）なるから、気をつけて渡ろう。

2）お風呂（　　　　）弟は、暑い日でもお風呂に入ろうとしない。

3）どんな人でも（　　　　）教育を受けることができる世の中になって欲しい。

4）（　　　　）ことを言ってしまって、すみません。気分を悪くしないでください。

5）試合に負けた選手たちは、とても（　　　　）そうな顔をしていた。

6）生活が（　　　　）も、みんな健康でいられるのは幸せだ。

7）説明はとてもいいですが、もっと（　　　　）例もほしいですね。

8）山の上からの景色の（　　　　）さに、みんな感動しました。

9）アジアを旅行したとき、土産物を売る人に（　　　　）勧められて、困ったことがある。

10）このポケットレインコートがあれば、（　　　　）雨でも安心です。

11）祖母は飛行機みたいに大きいものが飛ぶのは（　　　　）だと思っている。

愛する	合わせる	味わう	勧める	取り消す	認める	覚める	挙げる
流れる	なくす	増やす	指す	つかむ	閉じる	振る	学ぶ

12）人々が彼の作品を（　　　　　　）ようになったのは、死んでから 10 年後だった。
13）友人が指で「あれは何？」と言って、山の上の建物を（　　　　　　）た。
14）病気で旅行に行けなくなったので、ホテルの予約も（　　　　　　）なければならない。
15）ごみが出るのはしかたがないが、ごみを（　　　　　　）ないようにすることはできる。
16）留学の許可をもらって、やっと大きなチャンスを（　　　　　　）ことができた。
17）電子辞書を買いに行ったら、店員が「これはいかがですか」と（　　　　　　）てくれた。
18）町の中央を（　　　　　　）川の両側にはたくさんの桜が植えられている。
19）北海道を旅行して、新鮮な魚や果物を（　　　　　　）みたい。
20）彼はドイツに留学して医学を（　　　　　　）あと、日本に帰国した。
21）親が子に厳しくするのは、子を（　　　　　　）いるからだと思いたい。
22）みんなが持っているお金を（　　　　　　）ら、ちょうど 5000 円あった。

5．［　　　］の言い方を使って、答えを書きましょう。

1）ユウさんは何とおっしゃっていましたか。［～ということです］
…＿＿＿＿＿＿＿＿＿＿＿＿＿＿＿＿＿＿＿＿

2）先生が学校をやめるんですか。［～がる］
…ええ、＿＿＿＿＿＿＿＿＿＿＿＿＿＿＿＿＿＿＿＿

3）どうして遅れたんですか。［～ようとしたとき、～］
…＿＿＿＿＿＿＿＿＿＿＿＿＿＿＿＿＿＿＿＿

4）日本語の勉強は、うちではどんなことをしていますか。［V とか、V とか］
…＿＿＿＿＿＿＿＿＿＿＿＿＿＿＿＿＿＿＿＿

5）結局、きのうの晩は何を食べたんですか。［～つもりでしたが、～］
…＿＿＿＿＿＿＿＿＿＿＿＿＿＿＿＿＿＿＿＿

6）医者に何と言われたんですか。［～てばかりいないで、～］
…＿＿＿＿＿＿＿＿＿＿＿＿＿＿＿＿＿＿＿＿

6．文を読んで、質問に答えましょう。

I

「先生、熱い水をください。」と言ったら、先生が日本語の「水」は冷たいもので、熱くなると1）それはもう「水」ではなく「お湯」と言うんだと教えてくださった。同じものなのだが、わたしたちと日本人とで、見方や考え方が違うことに気がつくことが多い。日本語を勉強していると、2）そんな発見もあって、とても楽しい。

1）「それ」は何ですか。

______

2）「そんな」はどんなことですか。

______

II

小学生の男の子がいました。彼は両親が離婚したので、母親に育てられていました。半年ほどあとで、彼は道で父親に会ってしまいました。3）そのとき、その子は困ったような顔で、小さな声で「こんにちは」と言いました。4）それを聞いた父親はとても寂しそうな顔をしました。

どうして父親は寂しそうな顔をしたのでしょうか。5）それは、日本語で「こんにちは」はいっしょに住んでいる家族には言わないからです。どうですか？ 自分の息子に6）「こんにちは」と言われた父親の寂しい気持ちがわかりますか。

3）「そのとき」はいつですか。

______

4）「それ」は何ですか。

______

5）「それ」は何ですか。

______

6）どうして「こんにちは」と言われて、寂しくなるのですか。

______

第７課

名前

文法・練習

1．例１：嫌いでも＿食べなくてはなりません。＿　［食べる］

例２：嫌いなら＿食べなくてもかまいません。＿　［食べる］

１）道具はあとで使うから、＿＿＿＿＿＿＿＿＿＿＿＿＿＿　［戻す］

２）あなたが悪いんです。＿＿＿＿＿＿＿＿＿＿＿＿＿＿　［謝る］

３）これは無料だから、お金を＿＿＿＿＿＿＿＿＿＿＿＿＿＿　［払う］

４）そんなに立派な設備は＿＿＿＿＿＿＿＿＿＿＿＿＿＿　［ある］

５）冷たいからおいしいんです。＿＿＿＿＿＿＿＿＿＿＿＿＿＿　［冷たい］

６）この折り紙で使う紙はほかの色はだめです。＿＿＿＿＿＿＿＿＿＿＿＿＿＿　［赤］

2．例：何か買いますか。　…いいえ、ちょっと＿見るだけです。＿

１）もう帰るんですか。　…いいえ、ちょっと＿＿＿＿＿＿＿＿＿＿＿＿＿＿

２）顔の色が悪いですね。　…大丈夫です。少し＿＿＿＿＿＿＿＿＿＿＿＿＿＿

３）あ、料理を作るんですか。　…いいえ、＿＿＿＿＿＿＿＿＿＿＿＿＿＿

４）泣いているんですか。　…いいえ、目に＿＿＿＿＿＿＿＿＿＿＿＿＿＿

3．例：毎日これを（続けます→　続けるだけで）、［　a　］

１）この材料を（混ぜます→　　　　　　　）、［　　　］

２）このガムを（かみます→　　　　　　　）、［　　　］

３）注射を（見ました→　　　　　　　）、［　　　］

４）３時間（手伝いました→　　　　　　　）、［　　　］

５）宿題を（しませんでした→　　　　　　　）、［　　　］

> ~~a．楽にダイエットできます。~~
> b．すごくしかられた。
> c．おいしい料理ができます。
> d．３万円ももらった。
> e．歯が丈夫になるんですよ。
> f．泣いてしまった。

4．例：お金がありますか。…いいえ。でも、＿お金なんかなくても、大丈夫です。＿

１）あなたは、とても日本語が上手だそうですね。

…いいえ、＿＿＿＿＿＿＿＿＿＿＿＿＿＿＿＿＿＿＿＿

２）薬を飲まなくてはいけませんか。

…いいえ、＿＿＿＿＿＿＿＿＿＿＿＿＿＿＿＿＿＿＿＿

３）日本のアニメは本当にすごいですね。

…ええ、実はわたし、＿＿＿＿＿＿＿＿＿＿＿＿＿＿＿＿と思っていたんです。

5．例：マリさんが結婚しますよ。知っていましたか。

　…いいえ、マリさんが結婚するなんて、知りませんでした。

1）彼はまじめだそうですが、信じられますか。

　…いいえ、＿＿＿＿＿＿＿＿＿＿＿＿＿＿＿＿＿＿＿＿

2）11月なのに桜が咲きましたが、普通ですか。

　…いいえ、＿＿＿＿＿＿＿＿＿＿＿＿＿＿＿＿＿＿＿＿

3）自分が事故にあうって、考えたことがありますか。

　…いいえ、＿＿＿＿＿＿＿＿＿＿＿＿＿＿＿＿＿＿＿＿

4）80歳でエベレストに登りましたが、普通できますか。

　…いいえ、＿＿＿＿＿＿＿＿＿＿＿＿＿＿＿＿＿＿＿＿

6．例：妹が泣きました　→わたしは妹を泣かせて、しかられました。

1）親が喜びます　→＿＿＿＿＿＿＿＿＿＿＿＿のは、いいことです。

2）子どもがけがをしません　→＿＿＿＿＿＿＿＿＿＿＿＿ように気をつけています。

3）子犬が死にました　→弟は＿＿＿＿＿＿＿＿＿＿＿＿しまったと泣いていた。

4）赤ちゃんが笑います　→姉は＿＿＿＿＿＿＿＿＿＿＿＿のが上手です。

5）わたしが困ります　→そんなに＿＿＿＿＿＿＿＿＿＿＿＿ないでください。

6）みんなが怖がります　→兄は＿＿＿＿＿＿＿＿＿＿＿＿のが上手だ。

7．例：おじいさんの英語にびっくりさせられました。　［びっくりしました］

1）あの子の心の優しさに、＿＿＿＿＿＿＿＿＿＿＿＿　［感心します］

2）環境問題について＿＿＿＿＿＿＿＿＿＿＿＿　［考えました］

3）好きなチームが優勝できなくて＿＿＿＿＿＿＿＿＿＿＿＿　［がっかりしました］

4）物価が高くなると＿＿＿＿＿＿＿＿＿＿＿＿のは人々だ。［困ります］

8．例：もう帰ります。…帰るなら、電気を消してください。

1）買い物に行きます。…＿＿＿＿＿＿＿＿＿＿＿＿＿＿＿＿＿＿＿＿

2）これはもう要りません。…＿＿＿＿＿＿＿＿＿＿＿＿＿＿＿＿＿＿＿＿

3）そろそろ冷蔵庫を買い換えましょうか。…＿＿＿＿＿＿＿＿＿＿＿＿＿＿＿＿

4）辞書は持っていません。…＿＿＿＿＿＿＿＿＿＿＿＿＿＿＿＿＿＿＿＿

5）あした都合が悪いです。…＿＿＿＿＿＿＿＿＿＿＿＿＿＿＿＿＿＿＿＿

話す・聞く

1．例：どこ＿で＿先生＿に＿会いましたか。

1）その音楽会＿＿＿、みんな彼女のピアノ＿＿＿感動したのです。

2）駅＿＿＿友達＿＿＿待ち合わせた。

3）彼はおもしろいゲーム＿＿＿みんな＿＿＿楽しませました。

4）お客さん＿＿＿このお茶＿＿＿出してください。

5）わたしはいつも兄＿＿＿悪口＿＿＿言われている。

6）電車＿＿＿おじいさん＿＿＿席＿＿＿譲りました。

2．

点数	冗談	感動	今回	同僚	失礼	見物

例：誘われたときの、（　失礼　）のない断り方を教えていただけませんか。

1）昨日の試験の（　　　　　）は、どうでしたか。わたしはまた悪かったけど…。

2）カラオケですか…。すみませんが、都合が悪いので、（　　　　　）は行けません。

3）あの人は鈴木さんと言います。わたしより年は上ですけど、会社では（　　　　　）です。

4）先生はおもしろい（　　　　　）を言ったつもりのようだが、学生は意味がわからなくて、だれも笑わなかった。

5）おばあさんは隣のおばさんと芝居（　　　　　）に出かけた。

6）親のいない兄弟が一生懸命生きていく映画に（　　　　　）して、涙が出た。

空く	表す	受ける	待ち合わせる	遠慮する

7）午後の３時ごろ（　　　　　）いたら、ちょっと手伝ってください。

8）どうぞ（　　　　　）ないでたくさん食べてください。

9）友達と駅の前で（　　　　　）が、30分待っても、友達は来なかった。

10）日本語で自分の気持ちを（　　　　　）のは難しい。

11）友達からマラソン大会参加の誘いを（　　　　　）が、断った。

せっかく	いろんな	きつい	あらためて	たいした

12）大丈夫、このぐらいのけがが、（　　　　　）ことはありませんよ。

13）毎日３時間も残業するなんて、（　　　　　）仕事ですね。

14）環境問題で子どもたちに明るい未来があるのか、（　　　　　）考えてみた。

15）日本には飲み物だけでなく、（　　　　　）自動販売機があって、びっくりした。

16）（　　　　　）ここまで頑張ったのだから、最後までやりたい。

読む・書く

1．例：どこ＿で＿先生＿に＿会いましたか。

1）小学校のときはクラス＿＿＿一番だった＿＿＿いばっているが、本当かな。

2）彼は「おれ＿＿＿はわからないことなんかひとつ＿＿＿ないよ。」と言った。

3）運動会のとき、走るまえは足＿＿＿震えて困った。

4）友達とおしゃべり＿＿＿していて、どんなことがいちばん嫌＿＿＿という話になった。

5）男は「助けて」と言い＿＿＿ ＿＿＿ ＿＿＿、次々にまんじゅうを食べた。

2．

~~いばる~~	助ける	震える	いじめる	感心する	喜ぶ	譲る

例：弟はテストで100点とったので、みんなに「すごいでしょう？」と（　いばって　）いる。

1）まだ6歳なのに弟の世話をする女の子を見て、（　　　　　）した。

2）子どもが生まれたのをいちばん（　　　　　）くれたのは、父だった。

3）あの男たちは弱い者を（　　　　　）、おもしろがっている。

4）バスにおばあさんが乗ってきたので、席を（　　　　　）あげた。

5）とても怖かったのか、彼女の声は（　　　　　）いた。

6）困っている人を見ると、（　　　　　）あげたいと思うが、なかなかできない。

ポツリと	次々に	いや	すると	ぐらい	丸い

7）地球が（　　　　　）なんて、昔の人はだれも信じなかった。

8）会議ではこの問題について（　　　　　）意見が出て、なかなか決まらなかった。

9）少し難しい問題だけど、一人（　　　　　）わかる人はいるだろう。

10）散歩していた祖母が山の紅葉を見て、（　　　　　）「秋だね…」と言った。

11）わたしは「うそだ。そんなことは絶対にない。うそだよ。」と言った。

（　　　　　）、友達は「（　　　　　）、本当なんだ。」と言った。

3．例1：バスが行ってしまった。…おーい、＿待ってくれ＿！

例2：友達が恋人からの手紙を見ている。…だめ、＿見ないでくれ＿！

1）高いところから落ちる夢を見ている。…わあ、＿＿＿＿＿！

2）悪い友達がお金を借りに来た。…だめ、＿＿＿＿＿！

3）彼女を泣かせてしまった。…お願い、＿＿＿＿＿！

4）トイレの前で待っている。…頼む、早く＿＿＿＿＿！

~~待つ~~
~~見る~~
泣く
出る
帰る
助ける

第8課

名前

文法・練習

1．例1：両親がいないあいだ、＿わたしはずっとテレビを見ていました＿。

例2：両親がいないあいだに、＿3回 電話がありました。＿

1）夏休みのあいだに、＿＿＿＿＿＿＿＿

2）みんなが遊んでいるあいだ、＿＿＿＿＿＿＿＿

3）わたしは電車に乗っているあいだ、＿＿＿＿＿＿＿＿

4）妹 はしばらく会わないあいだに、＿＿＿＿＿＿＿＿

2．例1：先生が来ます・待っていてください →＿先生が来るまで、待っていてください。＿

例2：先生が来ます・掃除しておきます →＿先生が来るまでに、掃除しておきます。＿

1）試合に勝ちます・あきらめません →＿＿＿＿＿＿＿＿

2）試験が始まります・トイレに行きます →＿＿＿＿＿＿＿＿

3）卒 業 します・N1 に合格したいです →＿＿＿＿＿＿＿＿

4）先生に 注 意されます・まちがいに気がつきませんでした。→＿＿＿＿＿＿＿＿

3．例：女 の人がいます・眼鏡をかけています →＿眼鏡をかけた 女 の人がいます。＿

1）自転車をもらいました・壊れています →＿＿＿＿＿＿＿＿

2）窓から風が入ってきます・開いています →＿＿＿＿＿＿＿＿

3）ガラスで指を切ってしまった・割れています →＿＿＿＿＿＿＿＿

4）部屋から音がします・鍵がかかっています →＿＿＿＿＿＿＿＿

5）封筒があります・切手がはってあります →＿＿＿＿＿＿＿＿

4．例：どこの会社も始まる時間が同じですか。…いいえ、＿会社によって違います。＿

1）ビールの値段はどこの店でも同じですか。…いいえ、＿＿＿＿＿＿＿＿

2）朝ごはんはいつも同じものを食べますか。…いいえ、＿＿＿＿＿＿＿＿

3）彼はだれにでもあんな言い方をするんですか。…いいえ、＿＿＿＿＿＿＿＿

4）漢字の読み方は一つだけですか。…いいえ、＿＿＿＿＿＿＿＿

5．例：服を（着る→　着たまま　）［　a　］

1）彼女は部屋に（入る→　　　　　　　　）［　　］
2）冷蔵庫にビールを（入れる→　　　　　　　　）［　　］
3）彼はお金を（借りる→　　　　　　　　）［　　］
4）信号が赤に（なる→　　　　　　　　）［　　］
5）靴を（はく→　　　　　　　　）［　　］

~~a．寝ています~~
b．入らないでください
c．返してくれない
d．出てこない
e．忘れていた
f．変わらない

6．例：どうしてあのカメラを買わないんですか。
…高いからです。

1）どうして日本語を勉強していますか。…＿＿＿＿＿＿＿＿＿＿
2）どうしてうちへ戻るんですか。…＿＿＿＿＿＿＿＿＿＿
3）どうしてみんな喜んでいるんでしょうか。…＿＿＿＿＿＿＿＿＿＿
4）どうして彼は仕事を辞めたんですか。…＿＿＿＿＿＿＿＿＿＿と思います。

7．例：どこ＿で＿先生＿に＿会いましたか。

1）窓を開けた＿＿＿ ＿＿＿寝て、かぜをひいてしまった。
2）夏休み＿＿＿あいだ＿＿＿車の免許＿＿＿取りたい。
3）授業＿＿＿きちんとノート＿＿＿取っていますか。
4）店＿＿＿よって、値段＿＿＿違います。
5）捨てないでとっておく＿＿＿は、もったいない＿＿＿ ＿＿＿です。

8．

免許	社会勉強	ことば遣い	生	退職	人生

例：弟は車の運転（　免許　）をとるために、自動車学校に通っている。

1）これからの（　　　　　　）で、いろいろ大変なこともあるが、負けないで頑張るつもりだ。
2）父は65歳で（　　　　　　）して、田舎で野菜を作っている。
3）正しい（　　　　　　）ができないと、就職してから困りますよ。
4）この野菜は（　　　　　　）のままで食べてもおいしいですよ。
5）学生のときにアルバイトをするのは、いい（　　　　　　）になると思います。

話す・聞く

1．例：どこ＿で＿先生＿に＿会いましたか。

1）雨が降りそうなので、折りたたみ＿＿＿傘を持って行こう。

2）彼女はおもしろい形＿＿＿したリュック＿＿＿背負っていた。

3）あの花柄＿＿＿セーターを妹に買ってやろう。

4）妹は長い髪＿＿＿しています。

5）雨がやむ＿＿＿ ＿＿＿喫茶店で本を読んでいた。

2．

禁煙	特徴	持ち物	迷子	無地	姪	身長

例：ここは（ 禁煙 ）ですから、たばこを吸わないでください。

1）この野球チームの（　　　　　）は、メンタルトレーニングをやっていることだ。

2）あの子はわたしの（　　　　　）です。姉の娘です。小学5年生です。ずいぶん背が高いでしょう？（　　　　　）は160センチもあるんですよ。

3）危険なものを持っていないか、あそこで（　　　　　）を検査しているんです。

4）花柄とか、チェックとかのシャツはだめです。白で（　　　　　）のシャツを着てください。

5）あそこで小さい子が一人で泣いていますね。（　　　　　）になっちゃったのかな。

背負う	見つかる	眠る	枯れる	焦げる	専門的	もったいない	平凡	確か

6）彼は大きなリュックを（　　　　　）と、「さあ、行こう」と歩きはじめた。

7）忘れた傘は青くて、（　　　　　）持つところにシールが貼ってあったと思います。

8）庭の花が（　　　　　）のは、水をやるのを忘れていたからだ。

9）父の病気が心配で、夜なかなか（　　　　　）ません。

10）友達と電話で話しているあいだに、料理が（　　　　　）しまった。

11）祖母は古くなった物でも（　　　　　）と言って、なかなか捨てない。

12）彼は大きな問題もなく、特別なことをすることもなく、（　　　　　）毎日を送っている。

13）経済について（　　　　　）ことはわかりませんが、景気が悪いことは感じている。

4．例：リンさんの髪は長いです。→リンさんは＿長い髪をしています。＿

1）マリちゃんの目はかわいいです。→マリちゃんは＿＿＿＿＿＿＿＿＿＿

2）あの魚の形はおもしろいです。→あの魚は＿＿＿＿＿＿＿＿＿＿

3）この石の色はチョコレートのようです。→この石は＿＿＿＿＿＿＿＿＿＿

4）先生の声は母のように優しいです。→先生は＿＿＿＿＿＿＿＿＿＿

読む・書く

1．例：どこ＿で＿先生＿に＿会いましたか。

1）音楽は人々______希望______与える。

2）わたしは着物を着た女性______魅力______感じます。

3）佐々木さんは「『七人の侍』は歴史に残る映画だ」______、そのアイディアのすばらしさ______褒めている。

4）本当に科学は人々______幸せ______できるのだろうか。

5）10歳の子ども______対象______調査を行った。「警官は人々の安全を守る」というのがほとんどの子ども______共通した答だった。

2．

発展　~~アイディア~~　関心　共通　対象　ダメージ　多様化　魅力

例：お世話になった先生にお礼をしたいのですが、何かいい（　アイディア　）はありませんか。

1）わたしは日本の「いじめ」の問題に（　　　　　）を持っています。

2）山登りが好きなユウさんは、山のどんなところに（　　　　　）を感じますか。

3）日本にいる留学生を（　　　　　）に、学習条件などについて調査が行われた。

4）この３枚の絵に（　　　　　）するのは、遠くに馬がかいてあることだ。

5）最近は趣味も（　　　　　）して、とても珍しい趣味を持つ人もいる。

6）この町は昔は田舎だったが、今は駅を中心に（　　　　　）している。

7）夏の暑いときにずっと外にいたので、髪の毛に（　　　　　）を受けた。

時に　反対に　豊か　わざと

8）弟は身長が高くてやせていて、（　　　　　）わたしは低くて、太っている。

9）先生はふだんは優しいが、（　　　　　）厳しく学生を叱ることもある。

10）親の時代と比べて、生活が便利で、（　　　　　）なってきた。

伸びる　述べる　与える　輝く

11）いい機会を（　　　　　）いただいて、本当に感謝しています。

12）みんなの将来は、夢と希望に（　　　　　）いる。

13）髪が（　　　　　）から、切ってもらいたいです。

14）日本語で自分の気持ちや意見を（　　　　　）のは難しい。

第9課

名前

文法・練習

1．例：課長、何で お帰りですか。 …地下鉄で帰るよ。

1）何を＿＿＿＿＿＿＿＿＿＿ …こんなタイトルの本を探しているんです。

2）先生はどこに＿＿＿＿＿＿＿＿＿＿ …さくらホテルに泊まってるよ。

3）今度はどんな作品を＿＿＿＿＿＿＿＿＿＿ …アラスカをテーマに書いているんだ。

4）ワン先生はどちらで＿＿＿＿＿＿＿＿＿＿ …203号室で休んでいるよ。

5）あの教室はどなたが＿＿＿＿＿＿＿＿＿＿ …確か、佐藤先生が使っていますよ。

2．例：窓を開けたいんですが。…どうぞ、 開けてもかまいません よ。

1）飲み物はビールしかありませんが。…ああ、＿＿＿＿＿＿＿＿＿＿よ。

2）スケジュールがきついと思いますが。…少しぐらい、＿＿＿＿＿＿＿＿＿＿よ。

3）あと 30 分待っていただけませんか。…はい、30 分なら＿＿＿＿＿＿＿＿＿＿よ。

4）色が地味だったら嫌ですか。…いいえ、＿＿＿＿＿＿＿＿＿＿よ。

5）この書類、捨てたら困りますか。…いいえ、＿＿＿＿＿＿＿＿＿＿よ。

3．例：リンさんは背が高いですね。…ええ。でも、 あなたほど高くないです。

1）田中先生は厳しいですね。…ええ。でも、＿＿＿＿＿＿＿＿＿＿

2）あなたは本当にまじめですね。…でも、＿＿＿＿＿＿＿＿＿＿

3）たくさん漢字を知っているんですね。…でも、＿＿＿＿＿＿＿＿＿＿

4）昨日の試験は難しかったですね。…ええ。でも、＿＿＿＿＿＿＿＿＿＿

4．例：富士山はいちばん美しい山です。→ 富士山ほど美しい山はありません。

1）地震がいちばん怖いです。→＿＿＿＿＿＿＿＿＿＿

2）彼女はとても勉強に熱心です。→＿＿＿＿＿＿＿＿＿＿

3）あの美術館が最も知られています。→＿＿＿＿＿＿＿＿＿＿

4）あのときは本当に困りました。→＿＿＿＿＿＿＿＿＿＿

5）彼にはいろんなことが頼みやすいです。→＿＿＿＿＿＿＿＿＿＿

5．例：＿病気のために＿、働けません。

1）＿＿＿＿＿＿＿＿＿＿＿＿＿＿＿＿＿＿、電車が止まっています。

2）＿＿＿＿＿＿＿＿＿＿＿＿＿＿＿＿＿＿、病気になってしまいました。

3）＿＿＿＿＿＿＿＿＿＿＿＿＿＿＿＿＿＿、旅行に行けなくなりました。

4）＿＿＿＿＿＿＿＿＿＿＿＿＿＿＿＿＿＿、けがをしてしまいました。

6．例：薬を飲まなかったから、熱が下がりませんでした。

→＿薬を飲んでい＿たら、＿熱が下がっていた＿でしょう。

1）都合が悪いので、行けません。

→＿＿＿＿＿＿＿＿たら、＿＿＿＿＿＿＿＿＿＿＿＿＿＿でしょう。

2）道がすいていたから、飛行機に間に合いました。

→＿＿＿＿＿＿＿＿ば、＿＿＿＿＿＿＿＿＿＿＿＿＿＿でしょう。

3）健康じゃなかったから、山登りができませんでした。

→＿＿＿＿＿＿＿＿たら、＿＿＿＿＿＿＿＿＿＿＿＿＿＿でしょう。

4）雨がひどくなかったから、試合は続けられました。

→＿＿＿＿＿＿＿＿ば、＿＿＿＿＿＿＿＿＿＿＿＿＿＿でしょう。

5）その国のことばを知っているから、生活が不便じゃありません。

→＿＿＿＿＿＿＿＿たら、＿＿＿＿＿＿＿＿＿＿＿＿＿＿でしょう。

7．例：どこ＿で＿先生＿に＿会いましたか。

1）弟は妹＿＿＿テスト＿＿＿100点取ったこと＿＿＿自慢している。

2）アメリカ＿＿＿出国するときは、アメリカ＿＿＿入国するときほど厳しくない。

3）ここの畑＿＿＿は、おいしいトマト＿＿＿とれるんです。

4）試験のとき、時間がなくて、最後＿＿＿ ＿＿＿書けなかった。

8．

生きる　済む　とれる　決まる　~~どんどん~~

例：大雨で、川の水が（　どんどん　）増えていった。

1）掃除が（　　　　　）ら、こちらを手伝ってください。

2）彼女はどんなに生活が苦しくても、頑張って（　　　　　）いこうと思った。

3）出張に行く日は今、相談中です。（　　　　　）ら、すぐ連絡します。

4）ここで（　　　　　）た野菜は、東京などで売られている。

話す・聞く

1. 例：どこ＿で＿先生＿に＿会いましたか。

1）雑誌＿＿＿わたしが住んでいる町＿＿＿写真＿＿＿載っていた。

2）研修レポート＿＿＿最後＿＿＿感想＿＿＿付け加えておいた。

3）かばん＿＿＿お探しですか。

…ええ。ディズニーの絵＿＿＿かいてある＿＿＿を探してるんです。

4）お宅ではロボット＿＿＿留守番＿＿＿させているんですか。

2.

機能　　検索　　書き込み　　留守番　　商品　　例文　　シルバー

例：最近の携帯電話にはさまざまな（　機能　）がついている。

1）駐車場に止めてある（　　　　　　　）の車はだれのですか。

2）辞書はやはり（　　　　　　　）が多く載っているものがいいですね。

3）このスーパーでは、客が（　　　　　　　）を選ぶ傾向を調べている。

4）インターネットで「省エネ」ということばを（　　　　　　　）したいんですが、どうやればいいんですか。

5）母親が買い物に行っているあいだ、子どもたちは（　　　　　　　）をしていた。

付け加える　　編集する　　しっかり　　こうやって　　シンプル

6）留学したら、健康に気をつけて（　　　　　　　）勉強してください。

7）これで説明を終わりますが、最後にもう一つ（　　　　　　　）させていただきます。

8）無駄をなくして、必要なものだけ、という（　　　　　　　）生活をしたい。

9）（　　　　　　　）つまみを回すと、お湯の温度が調節できるんです。

10）写真や音楽を（　　　　　　　）したいんですが、いいパソコンはありませんか。

それに　　よろしいんじゃないでしょうか　　そうですか そうですね　　それでしたら

11）A：日本人なら、やはり黒い髪がいいんでしょうか。

B：うーん、（　　　　）。人によって違いますね。茶色い髪が似合う人もいますし……。

（　　　　）、年を取ったら、黒よりグレーのままがいいと思う人もいるでしょうね。

12）A：髪がだんだん薄くなっていくんです。何かいい薬はありませんか。

B：（　　　　　　　）、「カミバック」が（　　　　　　　）。とても自然ですよ。

A：（　　　　　　　）。じゃ、それをください。

読む・書く

1．例：どこ＿で＿先生＿に＿会いましたか。

1）暮らし＿＿＿役立つ情報＿＿＿インターネット＿＿＿検索した。

2）ミラーさんは子どもの様子＿＿＿ビデオ＿＿＿とっている。

3）カラオケは年齢＿＿＿関係なく、だれ＿＿＿ ＿＿＿楽しめる娯楽だ。

4）マンガの「サザエさん」をヒント＿＿＿この髪型をする人もいました。

5）歌舞伎は日本＿＿＿世界＿＿＿誇る文化である。

6）喫茶店など＿＿＿その機械＿＿＿貸し出す会社を始めた。これがカラオケ＿＿＿誕生だ。

2．

きっかけ	自慢	暮らし	地域	資源	~~影響~~	演奏	実現	機能	乾燥

例：わたしは医者だった祖父に（　影響　）を受けて、医学を勉強している。

1）ネパールに興味を持った（　　　　　）は、ある写真集でした。

2）花火大会があるので、この（　　　　　）は、立ち入り禁止になっている。

3）空気が（　　　　　）する季節には、火事に気をつけよう。

4）だれでも、お金が十分にあって、楽な（　　　　　）をしたいと思うだろう。

5）彼女はイギリスの有名大学に留学した息子を（　　　　　）している。

6）人間が月へ行くことが（　　　　　）したのは、1969年でした

7）水は人間の生活になくてはならない大切な（　　　　　）の一つだ。

8）携帯電話の（　　　　　）はどんどん複雑になって、年寄りには使いにくい。

3．

今では	単なる	関係なく	表れる	役立つ	貸し出す	誇る	録音する

1）これは（　　　　　）ボランティアではなく、いい経験ができるチャンスだと思う。

2）この曲は年齢や性別に（　　　　　）、どんな人にも愛されてきた。

3）あのまりこちゃんが、（　　　　　）3人の子どもの母親になっている。

4）山へ行って、鳥の声をテープに（　　　　　）のが、父の趣味だ。

5）日本の「ものづくり」は、世界に（　　　　　）技術です。

6）仕事に（　　　　　）英会話を習いたいと思っている。

7）この映画は家族を愛する気持ちがよく（　　　　　）いる。

8）先生、学校の本や雑誌は借りられますか。

…ええ、2週間で4冊まで（　　　　　）いますよ。

復習（ふくしゅう）
第7課～第9課

名前

1．例：どこ＿で＿先生＿に＿会いましたか。

1）友人＿＿＿待ち合わせているので、行かなくて＿＿＿なりません。

2）あとはこの料理＿＿＿出すだけ＿＿＿いいんです。

3）1回の試験＿＿＿車の免許＿＿＿とって、家族＿＿＿驚かせたことがある。

4）そんなに仕事＿＿＿きつい＿＿＿ ＿＿＿、やめたらどうですか。

5）すみません。掃除＿＿＿済む＿＿＿ ＿＿＿、あちらでお待ちください。

6）どのくらい米＿＿＿とれる＿＿＿は、年＿＿＿よって違う。

7）会社＿＿＿退職したのは、病気になった＿＿＿ ＿＿＿です。

8）彼は変な形＿＿＿したバッグ＿＿＿背負っていました。

9）作文の宿題は、今日帰る＿＿＿ ＿＿＿ ＿＿＿出さないといけません。

10）九州は四国＿＿＿ ＿＿＿大きいですが、北海道＿＿＿ ＿＿＿大きくはないです。

2．例：外は雨が（降ります→　降って　）います。

1）部屋はそんなに（広いです→　　　　　　　　）なくてもかまいません。

2）この果物、形が（変です→　　　　　　　　）だけで、とても甘いですよ。

3）リンさんは本当に人を（笑います→　　　　　　　　）のが上手ですね。

そうですね。感心（します→　　　　　　　　）られますね。

4）仕事を（続けます→　　　　　　　　）なら、エアコンをつけておきましょう。

5）雨が（やみます→　　　　　　　　）まで、お茶でも飲みましょうか。

6）荷物をたくさん（載せます→　　　　　　　　）トラックが走っている。

7）弟はシャツを（脱ぎます→　　　　　　　　）まま、片づけようとしない。

8）友達に仕事を（頼みました→　　　　　　　　）のは、わたしには

（無理です→　　　　　　　　）からだ。

9）先生、このことについて、どう（思います→　　　　　　　　）ですか。

10）説明が（複雑です→　　　　　　　　）ために、ほとんどわからなかった。

11）都合が（いいです→　　　　　　　　）ば、（行けました→　　　　　　　　）のに。

3．例：どうぞ［（ゆっくり）　はっきり　だんだん］休んでください。

1）昔は田舎だったが、［今でも　今では　今まで］大きな町になっている。

2）遠慮しないで［だんだん　次々に　どんどん］食べてください。

3）病気なんかに負けないで、まず［すっかり　せっかく　しっかり］食べないと。

4）友人の誕生日に［わざと　せっかく　あいにく］お酒を持って行ってあげたのに、お酒はやめたと言われた。

5）安いスーパーへ行ってみた。［ところが　ところで　それでも］、その店はなくなっていた。

6）駅の周りには［次々に　今にも　できれば］、新しいビルが建てられている。

7）毎日元気に過ごしているが、［ときに　久しぶりに　いつか］寂しくなることもある。

8）病気になって［そこで　あらためて　わざと］健康の大切さがわかる。

9）建物の屋上に上がった。［ところが　そこで　すると］向こうに海が見えた。

4．

~~ゆっくり~~　たいした　いろんな　きつい　丸い　専門的
平凡　もったいない　豊か　単なる　役立つ

例：どうぞ（　ゆっくり　）休んでください。

1）1万円なんて、（　　　　）金額じゃありませんよ。安いものです。

2）最近の携帯電話って、もう（　　　　）電話じゃなく、パソコンですね。

3）空港に7時に着いて、10時から会議ですか。ちょっと（　　　　）ですね。

4）先生の話は経済の（　　　　）ことばが多すぎて、わかりにくかった。

5）留学生のパーティーで（　　　　）人たちと交流ができた。

6）わたしのおじは、どこにでもいるような（　　　　）サラリーマンです。

7）物が何でもある（　　　　）社会になったけれども、燃えないごみを出す日に、まだ使えそうな物が捨ててあって、（　　　　）と思う。

8）就職先を探すのに（　　　　）情報をインターネットで見つけた。

5．

貸し出す　眠る　譲る　輝く　黙る　~~伸びる~~　とれる　誇る

例：髪が（　伸びた　）ので、切りたいんですが、だれかはさみを持っていますか。

1）日本の「ものづくり」は世界に（　　　　）もいい技術だ。

2）広い宇宙の話を聞く子どもたちの目が（　　　　）いますね。

3）この地方で（　　　　）野菜は、東京のスーパーでも売られている。

4）図書館の本は、ここの市民以外には、（　　　　）ないことになっているそうです。

5）わたしは濃いコーヒーを飲むと、夜、（　　　　）なくなるんです。

6）電車でおばあさんに席を（　　　　）うとしたら、「わたしはまだ若いよ」と言われた。

7）（　　　　）いないで、何か意見を言ってください。

焦げる	空く	表す	いじめる	遠慮する	震える
与える	枯れる	表れる	済む	付け加える	助ける

8）研修会の案内書に、参加するときの注意も（　　　　　　）てあった。
9）食事が（　　　　　　）ら、すぐ片づけてください。
10）子どものころ、よく兄にお菓子をとられたり、服を汚されたりして（　　　　　　）ていました。
11）すみません、時間が（　　　　　　）ときでいいですから、ちょっと手伝ってください。
12）花に水をやるのを忘れていたので、（　　　　　　）しまった。
13）「先生、自分の気持ちを日本語で（　　　　　　）のは、難しいですね。」
「ええ、でも、この作文は、世界の困っている人たちを（　　　　　　）あげたいという気持ちがよく（　　　　　　）ていますよ。」
14）プールに入っている薬が髪にダメージを（　　　　　　）ことがある。
15）火が強すぎて、魚が（　　　　　　）しまった。
16）おばさんは「欲しい物があったら（　　　　　　）ないで言いなさい」と言った。
17）わたしは高い所が苦手で、建物の屋上に上っただけで足が（　　　　　　）しまう。

6．［　　　　］の言い方を使って、答えましょう。

例：お金はいくらありますか。　［～しか～ません］

…＿５ドルしか　ありません＿。

1）パスポートも持って来たほうがいいですか。　［～なくてもかまいません］

…いいえ、＿＿＿＿＿＿＿＿＿＿＿＿＿＿＿＿＿＿＿＿

2）これはどうやって食べるんですか。　［ただ～だけでいいんです］

…＿＿＿＿＿＿＿＿＿＿＿＿＿＿＿＿＿＿＿＿＿＿＿＿

3）彼がいたから、試合で勝てたんですね。　［～たら、～たでしょう］

…はい、もし＿＿＿＿＿＿＿＿＿＿＿＿＿＿＿＿＿＿＿

4）みんな、どうして笑っているんですか。　［～（さ）せる］

…＿＿＿＿さんが、＿＿＿＿て、＿＿＿＿＿＿＿＿＿＿

5）今日はもう帰ります。お先に。　［～なら～］

…＿＿＿＿＿＿＿＿＿＿＿＿＿＿＿＿＿＿＿＿＿＿＿＿

6）いつ泥棒が入ったんですか。　［～あいだに、～］

…＿＿＿＿＿＿＿＿＿＿＿＿＿＿＿＿＿＿＿＿＿＿＿＿

7）あなたの国では、どこへ行っても同じことばを話しますか。　［～によって～］

…＿＿＿＿＿＿＿＿＿＿＿＿＿＿＿＿＿＿＿＿＿＿＿＿

8）今までで、失敗したことがありますか。　［～たまま、～てしまいました］

例：シャツの値札をつけたまま、出かけてしまいました。

…＿＿＿＿＿＿＿＿＿＿＿＿＿＿＿＿＿＿＿＿＿＿＿＿

9）あなたの知っている人で、どんな人がいますか。　［～ほど～人はいません］

例：ワンさんほどお酒をたくさん飲む人はいません。

…＿＿＿＿＿＿＿＿＿＿＿＿＿＿＿＿＿＿＿＿＿＿＿＿

10）今まで、何か困ったことがありましたか。　［～ために、～］

例：大雪が降ったために、試験に間に合わなかったことがあります。

…＿＿＿＿＿＿＿＿＿＿＿＿＿＿＿＿＿＿＿＿＿＿＿＿

第10課

名前

文法・練習

1．例1：たくさん勉強したから、テストは（いいです→　　いいはずだ。　）

　例2：たくさん勉強したから、テストは（悪いです→　悪いはずがない。）

　1）あの部屋は鍵がかかっていないから、人が簡単に（入れます→　　　　　　　　）

　2）あのレストランは高いから、3000円では（足りません→　　　　　　　　）

　3）子どもが一人で旅行するなんて、（大丈夫です→　　　　　　　　）

　4）たばこはだめだよ。ここは（禁煙です→　　　　　　　　）から。

　5）お酒が好きなユウさんがパーティーで（飲みません→　　　　　　　　）

2．例：家族で食事＿するはずだった＿が、妻が事故にあって、できなくなった。

　1）この仕事はすぐ＿＿＿＿＿＿＿＿が、結局終わったのが夜の10時だった。

　2）試合では絶対に＿＿＿＿＿＿＿＿のに、簡単に負けてしまった。

　3）天気予報では一日中＿＿＿＿＿＿＿＿が、午後からすごい雨になった。

　4）今日は＿＿＿＿＿＿＿＿が、急に仕事が入って、会社へ行くことになった。

3．例：いつもは早く起きますが、たまに遅く＿起きることもあります。＿＿

　1）この時間の電車はいつもすいていますが、たまに＿＿＿＿＿＿＿＿

　2）先生の説明はよくわかりますが、時々＿＿＿＿＿＿＿＿

　3）いつもは静かな公園ですが、お祭りなどで＿＿＿＿＿＿＿＿

　4）ふだんは元気ですが、天気が悪いと、＿＿＿＿＿＿＿＿

　5）買い物はいつも現金だが、たまにカードを＿＿＿＿＿＿＿＿

4．例：パソコンを買い換えることになった。（会議）

　　→＿会議の結果、パソコンを買い換えることになった。＿

　1）この病気の原因がわかった。（研究）

　　→＿＿＿＿＿＿＿＿＿＿＿＿＿＿＿＿

　2）入院することになった。（検査してもらいました）

　　→＿＿＿＿＿＿＿＿＿＿＿＿＿＿＿＿

　3）授業料が安くなった。（学校と交渉しました）

　　→＿＿＿＿＿＿＿＿＿＿＿＿＿＿＿＿

5．例1：みんなは「いただきます。」と言って食べ［ 始め　出し ］た。

例2：みんなは「ごちそうさまでした。」と言って食べ［ 始め　続け　終わっ ］た。

1）娘が「あの人と結婚したい。」と言うと、父親は怒り［ 始め　出し ］た。

2）先生は「わたしの昔の話をします」と言うと、静かに話し［ 始め　出し ］た。

3）わたしが趣味で写真を撮り［ 始め　出し ］たのは、10年前でした。

4）あの野球チームはもう7回も負け［ 始め　続け　終わっ ］ている。

5）彼女は歌い［ 始める　続ける　終わる ］と、人々に深く頭を下げた。

6）いつごろからこの土地に人が住み［ 始め　続け　終わっ ］たんでしょうか。

6．「〜忘れる／〜合う／〜換える」を書きましょう。

1）子どもたちはもらったプレゼントをみんなで見せ（　　　　　　）いる。

2）部屋の鍵をかけ（　　　　　　）、出かけてしまった。

3）みんながお互いに助け（　　　　　　）社会にならないといけない。

4）自動販売機で飲み物を買ったとき、おつりを取り（　　　　　　）しまった。

5）洗濯機の調子が悪いので、そろそろ買い（　　　　　　）ほうがいいかもしれない。

7．例：どこ__で__先生__に__会いましたか。

1）スーパーの前____先生____見かけた。

2）そんなにお金____もうけて、どうするんですか。

3）抽選____お客様が一等____選ばれました。

4）その社長は事件との関係____否定した。

5）修理してもらったが、まだエンジン____かかりにくい。

6）両親____の話し合い____結果、妹の留学を認めること____決めた。

8．

実際　投票　計画　時間通りに　お互いに　めったに

例：夏休みの旅行の（ 計画 ）を立てているところだ。

1）父は（　　　　　）お酒を飲まないが、うれしいことがあると飲むこともある。

2）イさんは彼に韓国語を、彼はイさんに日本語を（　　　　　）教え合っている。

3）お見合いの相手の顔は、写真で見たのと（　　　　　）と、全然違っていた。

4）飛行機は（　　　　　）着きますか。　…すみません、少し遅れると思います。

5）この意見に賛成か反対か、（　　　　　）で決めましょう。

話す・聞く

1．例：どこ＿で＿先生＿に＿会いましたか。

1）車＿＿＿修理＿＿＿出さないといけない。

2）みんなは彼＿＿＿悪い男だ＿＿＿誤解していた。

3）山田さんが昔俳優だった＿＿＿聞いて驚きました。

4）玄関の前に大きな箱が1週間前＿＿＿ ＿＿＿置いてあります。

5）いつから彼女＿＿＿親しくなったんですか。

6）プリンターの電源＿＿＿入ったままでしたよ。切る＿＿＿ ＿＿＿忘れないでくださいね。

2．

禁煙	倉庫	マニュアル	誤解	親しい	てっきり	否定

例：ここは（　禁煙　）ですから、たばこを吸わないでください。

1）外国人がことばや習慣の違いで（　　　　　）されることがあるという話を聞いた。

2）古い資料は箱に入れて、（　　　　　）にしまっておいてください。

3）知らない人が（　　　　　）そうに話しかけてきたので、気持ちが悪かった。

4）会社にいるとき大きな地震が起きたら、どうしたらいいか、（　　　　　）が作ってある。

5）えっ、お金が要るんですか。（　　　　　）無料だと思っていました。

6）お酒のにおいがしたが、彼は「飲んでいないよ。」と（　　　　　）した。

驚く	聞き返す	出す	怒る	当たる	通じる	見かける	もうける

7）駅の近くで弟さんを（　　　　　）けど、かわいい女の子といっしょでしたよ。

8）楽をしてお金を（　　　　　）ようと思ってはいけない。

9）宝くじが（　　　　　）て喜んでいたら、夢だった。

10）あなたのために注意してあげたんだから、そんなに（　　　　　）ないでください。

11）この建物の中からは携帯電話が（　　　　　）ないと思います。

12）日本人がわたしに何か言ったが、わからなかったので「何ですか？」と（　　　　　）た。

13）車は今、修理に（　　　　　）いるので、うちにはありません。

14）タンさんが日本へ行っていちばん（　　　　　）のは、たくさんの自動販売機だったそうだ。

そんなはずはありません	わかってもらえればいいんです	気を悪くしないでください

15）昨日公園を散歩していたら、犬を連れたケイさんがいましたよ。

…え？（　　　　　　　　　）。ケイさんはすごいペット嫌いですよ。

16）すみません。てっきりあなたがうそをついたと思っていました。（　　　　　　　　　）。

…いいえ、（　　　　　　　　　）。

読む・書く

1．例：どこ＿で＿先生＿に＿会いましたか。

1）先生もミス＿＿＿おかすこと＿＿＿あるんですね。

2）小さな不注意＿＿＿大きな事故＿＿＿つながった。

3）ひとつの誤解＿＿＿戦争＿＿＿引き起こす＿＿＿いうことになってはいけない。

4）検査＿＿＿結果、どこも悪いところがなかった。

5）わたし＿＿＿間違いでした。気＿＿＿悪くしないでください。

…いいえ、わかってもらえれ＿＿＿いいんです。

2．

~~ゆっくり~~	ぼんやり	うっかり	深く	一方	または

例：どうぞ（　ゆっくり　）休んでください。

1）わたしは甘いものが好きだ。（　　　　　　）姉は辛いものやお酒が好きだ。

2）シャツのポケットにお金を入れたまま、（　　　　　　）洗濯してしまった。

3）あしたの式には黒、（　　　　　　）紺の上着を着て来てください。

4）授業中、（　　　　　　）していて、先生の説明を聞かないことがよくある。

5）わたしたちはお互いに（　　　　　　）愛し合っています。

おかす	転ぶ	引き起こす	つながる

6）調査の結果、設計ミスが事故に（　　　　　　）ことがわかった。

7）廊下がぬれていたので、すべって（　　　　　　）しまった。

8）なぜこんなまちがいを（　　　　　　）しまったのか、わからない。

9）大きな地震が津波を（　　　　　　）ということは昔の人もよくわかっていた。

3．例：次も研究に失敗します。中止です。

→次も研究に＿失敗し＿たら、＿中止ということになる。＿

1）雨がやみません。試合はできません。

→雨が＿＿＿＿＿＿＿＿ば、試合は＿＿＿＿＿＿＿＿

2）あと5回欠席します。学校をやめなければなりません。

→あと5回＿＿＿＿＿＿＿＿と、学校を＿＿＿＿＿＿＿＿

3）あしたも雨です。1週間降り続きました。

→＿＿＿＿＿＿＿＿なら、1週間＿＿＿＿＿＿＿＿

4）この質問に答えられます。あの子の頭は大学生レベルです。

→この質問に＿＿＿＿＿＿＿＿ば、あの子の頭は＿＿＿＿＿＿＿＿

文法・練習

1．例1：だいぶ寒(さむ)くなって＿きました＿ね。

例2：彼女(かのじょ)はもっと日本語(にほんご)が上手(じょうず)になって＿いく＿と思(おも)います。

1）電車(でんしゃ)が出発(しゅっぱつ)して、町(まち)がだんだん遠(とお)くなって＿＿＿＿＿＿と、涙(なみだ)が出(で)てきた。

2）日本語(にほんご)のおもしろさがだんだんわかって＿＿＿＿＿＿て、うれしいです。

3）この薬(くすり)を飲(の)んでみてください、楽(らく)になって＿＿＿＿＿＿はずですよ。

4）今後(こんご)これ以上(いじょう)物価(ぶっか)が上(あ)がって＿＿＿＿＿＿ば、大変(たいへん)なことになりますね。

2．例：またテストが悪(わる)かったんです。　…じゃ、＿もっと勉強(べんきょう)したら＿どうですか。

1）ちょっと熱(ねつ)があるんです。　…じゃ、＿＿＿＿＿＿＿＿＿＿＿＿どうですか。

2）どこかで財布(さいふ)を落(お)としたようです。　…それは大変(たいへん)。＿＿＿＿＿＿＿＿どうですか。

3）疲(つか)れました。　…それはいけませんね。少(すこ)し＿＿＿＿＿＿＿＿＿＿どうですか。

3．例：安(やす)いと助(たす)かりますね。［高(たか)いです］…ええ、＿高(たか)いより、安(やす)いほうが＿助(たす)かります。

1）暇(ひま)だと嫌(いや)ですか。［忙(いそが)しいです］…ええ、＿＿＿＿＿＿＿＿嫌(いや)です。

2）彼(かれ)はすぐ行動(こうどう)しますね。［考(かんが)えます］…ええ、彼(かれ)は＿＿＿＿＿＿＿＿速(はや)いんです。

3）これ、修理(しゅうり)に出(だ)しますか。［新(あたら)しいのを買(か)います］…ええ、＿＿＿＿＿安(やす)いですよ。

4．例：［子(こ)ども］元気(げんき)に遊(あそ)んで、＿子(こ)どもらしい＿ですね。

［子(こ)ども］いつも疲(つか)れた顔(かお)をして、＿子(こ)どもらしくない＿ですね。

1）［夏(なつ)］＿＿＿＿＿＿＿＿て、涼(すず)しそうな服(ふく)ですね。

2）［あなた］黙(だま)っていて、おしゃべりが好(す)きな＿＿＿＿＿＿＿＿ですね。

3）［医者(いしゃ)］あの人(ひと)、顔色(かおいろ)が悪(わる)くて、＿＿＿＿＿＿＿＿ですね。

4）［サラリーマン］スーツをきちんと着(き)て、＿＿＿＿＿＿＿＿かっこうですね。

5．例：田中(たなか)さんはよくワインを飲(の)むそうですね。［ワインが好(す)きです］

…ええ、＿ワインが好(す)きらしいです＿よ。

1）おばあさんは昔(むかし)、テニスの選手(せんしゅ)だったそうですね。［かなり上手(じょうず)でした］

…そうなんです。＿＿＿＿＿＿＿＿＿＿＿＿＿＿＿＿よ。

2）彼女(かのじょ)は結婚(けっこん)をあきらめるそうですね。［父親(ちちおや)が大反対(だいはんたい)です］

…ええ、＿＿＿＿＿＿＿＿＿＿＿＿＿＿＿＿＿よ。

3）リンさんは試験(しけん)が受(う)けられなかったそうですね。［時間(じかん)をまちがえました］

…ええ、＿＿＿＿＿＿＿＿＿＿＿＿＿＿。残念(ざんねん)がっていましたよ。

6．例：富士山は有名ですか。［きれいな山です］　…ええ、＿きれいな山として有名です。＿

1）リンさんはスピーチコンテストに出たんですか。［学校の代表です］

…ええ、＿＿＿＿＿＿＿＿＿＿＿＿＿＿＿＿＿＿＿＿＿＿＿＿＿＿＿＿＿

2）その５千円はどうしてもらったんですか。［タクシー代です］

…このお金は＿＿＿＿＿＿＿＿＿＿＿＿＿＿＿＿＿＿＿＿＿＿＿＿＿＿＿

3）「山辺の道」は日本でいちばん古い道として知られていますね。［ハイキングコース］

…はい、＿＿＿＿＿＿＿＿＿＿＿＿＿＿＿＿＿＿＿＿＿＿＿＿＿＿＿＿＿

7．例：出かけるまえに、ごはんを食べましたか。…いいえ、＿食べずに＿出かけました。

1）美容院へ行くまえに、予約しましたか。…いいえ、＿＿＿＿＿＿＿行きました。

2）手紙を書くとき、辞書を使いましたか。…いいえ、＿＿＿＿＿＿＿書きました。

3）古い写真は捨てましたか。…いいえ、＿＿＿＿＿＿＿＿＿＿＿＿＿＿＿＿＿

4）仕事はだれかに頼みますか。…いいえ、＿＿＿＿＿＿＿＿＿＿＿＿＿＿＿＿

8．例：彼は何か食べたり、飲んだりしましたか。

…いいえ、何も＿食べず＿、何も＿飲みませんでした＿。

1）彼はお酒を飲んだり、たばこを吸ったりしますか。

…いいえ、＿＿＿＿＿＿＿＿＿＿＿、＿＿＿＿＿＿＿＿＿＿＿＿＿＿＿。

2）このレポートを書くとき、何か見たり、だれかに聞いたりしましたか。

…いいえ、＿＿＿＿＿＿＿＿＿＿＿、＿＿＿＿＿＿＿＿＿＿＿、自分で書きました。

3）地震のとき、だれかあわてたり、騒いだりしましたか

…いいえ、だれも＿＿＿＿＿＿＿＿、＿＿＿＿＿＿＿＿＿＿＿、落ち着いていました。

9．例：彼はアフリカへ行ったことがあるんですか。［３回］

…はい、＿３回行っています。＿

1）このお寺は戦争で焼けたことがあるんですか。［２度］

…はい、＿＿＿＿＿＿＿＿＿＿＿＿＿＿＿＿＿＿＿＿＿＿＿＿＿＿＿＿＿

2）あの人は大統領に選ばれたことがあるんですか。［一度も］

…いいえ、＿＿＿＿＿＿＿＿＿＿＿＿＿＿＿＿＿＿＿＿＿＿＿＿＿＿＿＿

3）ここでは事故が起きたことがないんですか。［何度も］

…いいえ、＿＿＿＿＿＿＿＿＿＿＿＿＿＿＿＿＿＿＿＿＿＿＿＿＿＿＿＿

4）この病気で死んだ人はいないんですか。［一人も］

…はい、これまで＿＿＿＿＿＿＿＿＿＿＿＿＿＿＿＿＿＿＿＿＿＿＿＿＿

話す・聞く

1．例：どこ＿で＿先生＿に＿会いましたか。

1）わたしはみんな＿＿＿先生の誕生日パーティーをすること＿＿＿提案した。

2）この薬を飲む＿＿＿乗り物＿＿＿酔いませんよ。

3）電話が多く＿＿＿家庭＿＿＿普及したのはいつごろからですか。

4）病気なんか＿＿＿負けないで、元気＿＿＿出してください。

5）どこ＿＿＿お勧め＿＿＿ところ、ありませんか。

6）お弁当は買う＿＿＿ ＿＿＿作るほう＿＿＿安いし、楽しいですよ。

2．

提案	価値	自由行動	~~コメント~~	テーマ

例：先生、クラス旅行の計画を立てたんですが、（　コメント　）をいただけませんか。

1）あのお寺の庭は特に秋がきれいで、見る（　　　　　）がありますよ。

2）皆さん、（　　　　　）があるんですが、週末に焼肉パーティーをしませんか。

3）午後は（　　　　　）です。午後5時までに駅の南口に集まってください。

4）学校で、「省エネ」を（　　　　　）に作文を書いた。

普及	寄付	行動	個人	方言

5）日本では1950年代の後半ごろから、テレビが（　　　　　）し始めた。

6）旅行はグループより（　　　　　）で行くほうが好きだ。

7）あの人が話していることばは、確か広島の（　　　　　）じゃないですか。

8）ある会社の社長が、市の小学校にサッカーボールを（　　　　　）したそうだ。

9）この動物は昼間は寝て、夜になると（　　　　　）すると聞いたことがある。

軽く	さらに	やっぱり	染める	酔う

10）勉強して疲れたから、（　　　　　）体操した。

11）オーストラリアの動物といえば、（　　　　　）コアラですね。

12）先生のお宅でごちそうになり、（　　　　　）帰るときはお土産までいただいた。

13）乗り物に（　　　　　）ようにするには、どうすればいいですか。

3．例：旅行はどこがいいですか。…＿タイなんかいい＿と思いますよ。

1）この店のデザートは何がおいしいですか。…＿＿＿＿＿＿＿＿＿＿と思いますよ。

2）司会はだれが上手ですか。…＿＿＿＿＿＿＿＿＿＿と思いますよ。

3）先生が喜ぶプレゼントはないかな。…＿＿＿＿＿＿＿＿＿＿と思いますよ。

読む・書く

1．例：どこ＿で＿先生＿に＿会いましたか。

1）子どもの教育＿＿＿どのぐらい費用＿＿＿かけていますか。

2）子どもたちの将来＿＿＿どんなこと＿＿＿期待していますか。

3）合掌造りは厳しい自然条件＿＿＿ ＿＿＿生まれたものだった。

4）県の交流会のボランティア＿＿＿登録しました。

5）彼女は歌手であり、3人の子どもの母親で＿＿＿ある。

6）彼は学校＿＿＿たくさん本＿＿＿寄付した。

7）あっ、いけない。切手をはらず＿＿＿手紙をポストに入れてしまった。

2．

これまでに	いかにも	ますます	地味	派手	農作物	いくつか

例：今年の夏は涼しかったために、（ 農作物 ）に影響が出ているそうだ。

1）会社の面接に行くのなら、もう少し（　　　　　　）服のほうがいいと思いますよ。

2）おじいさんは、（　　　　　　）2回入院している。

3）彼が（　　　　　　）見てきたように話すので、みんな信じてしまった。

4）台風が近づくと、風が（　　　　　　）強くなった。

5）わからないことばが（　　　　　　）あったが、文の内容はだいたいわかった。

建つ	送る	住み着く	あわてる	落ち着く	治める	かける

6）この村の人たちは魚をとって日常生活を（　　　　　　）いた。

7）あまり費用を（　　　　　　）ずに旅行したいと考えている。

8）地震のときにいちばん大切なのは（　　　　　　）ないことだ。

…そうですか。（　　　　　　）行動しないといけないんですね。

9）ずっと昔、この国は不思議な力がある女の人によって（　　　　　　）られていた。

10）この土地に人が（　　　　　　）ようになったのは600年ぐらい前からだろう。

3．例：このテレビは壊れて（ ~~います~~（○） あります ）。

1）お帰りなさい。あっ、ちょっと疲れた（ よう　らしい ）ですね。

2）8月なのにとても寒くて、夏（ じゃなさそうだ　らしくない ）。

3）彼は写真で見ると、あまり若く（ なさそうだ　ないらしい ）。

4）あの図書館の建物、まるで美術館（ だそう　みたい　らしい ）ですね。

5）高校に合格したお祝い（ について　として　によって ）図書券をもらった。

6）日本の家庭料理（ について　として　によって ）調べてみたいです。

7）友達と話していて、のどがかわいて（ いった　きた ）。

文法・練習

1．例：　どうしてパーティーに行かないんですか。…＿忙しいものですから。＿

　1）どうしてそんなに眠いんですか。…＿＿＿＿＿＿＿＿

　2）どうしてそんなに笑っているんですか。…＿＿＿＿＿＿＿＿

　3）どうしてそんなに服が濡れているんですか。…＿＿＿＿＿＿＿＿

　4）どうして彼とけんかになったんですか。…＿＿＿＿＿＿＿＿

2．例：雨が降りました・困りました　→＿雨に降られて、困りました＿。

　1）みんなが笑いました・恥ずかしかったです

　→＿＿＿＿＿＿＿＿＿＿＿＿＿＿＿＿

　2）友達が部屋に来ました・勉強できませんでした

　→＿＿＿＿＿＿＿＿＿＿＿＿＿＿＿＿

　3）会社の人が病気で休みました・仕事が遅くなりました

　→＿＿＿＿＿＿＿＿＿＿＿＿＿＿＿＿

　4）隣の部屋の人が騒ぎました・寝られませんでした

　→＿＿＿＿＿＿＿＿＿＿＿＿＿＿＿＿

3．例：隣に高いビルを建てました・日が当たらなくなりました

　→＿隣に高いビルを建てられて、日が当たらなくなりました。＿

　1）男の人がそばでたばこを吸いました・嫌でした

　→＿＿＿＿＿＿＿＿＿＿＿＿＿＿＿＿

　2）わたしが見つけた100円を女の人が先に拾いました・残念でした

　→＿＿＿＿＿＿＿＿＿＿＿＿＿＿＿＿

　3）若い人がバスの窓を開けました・寒かったです

　→＿＿＿＿＿＿＿＿＿＿＿＿＿＿＿＿

4．例：車が（行きます→　行ったり来たり　）しています。

　1）雨が（降ります→　　　　　　　　）しています。

　2）病気の彼は（寝ます→　　　　　　　　）する毎日だ。

　3）テストは（簡単です→　　　　　　　　）します。

　4）おばあさんは（泣きます→　　　　　　　　）の人生だったと言った。

　5）彼女の作る料理の味は（濃いです→　　　　　　　　）します。

5．

~~a．消しておいてください~~	b．返さないと	c．みんなが迷惑している
d．しまわないと	e．ファンが怒っている	

例：テレビが（つける→　つけっぱなし　）だから、[　a　]。

1）本が（借りる→　　　　　　　　　）だから、早く［　　　］。

2）こんなところに財布が（出す→　　　　　　　　　）だ。［　　　］。

3）この野球チームは最初の試合から（負ける→　　　　　　　　　）で、［　　　］。

4）彼は何でも仕事が（やる→　　　　　　　　　）で、［　　　］。

6．例：この薬がなかったら、病気は治らなかったと思います。

→ この薬のおかげで、病気が治りました。

1）体が丈夫じゃなかったら、元気に働けないでしょう。

→＿＿＿＿＿＿＿＿＿＿＿＿＿＿＿＿＿＿＿＿

2）病気にならなかったら、健康の大切さに気がつかなかったかもしれません。

→＿＿＿＿＿＿＿＿＿＿＿＿＿＿＿＿＿＿＿＿

3）留学させていただかなかったら、いろいろ学べなかったでしょう。

→＿＿＿＿＿＿＿＿＿＿＿＿＿＿＿＿＿＿＿＿

4）父にしかられなかったら、悪いことがやめられなかったと思います。

→＿＿＿＿＿＿＿＿＿＿＿＿＿＿＿＿＿＿＿＿

7．例：この人は何が原因で失敗しましたか。[お金です]

…お金のせいで、失敗しました。

1）どうしてこの作文が下手に見えるんですか。[みんなが上手です]

…＿＿＿＿＿＿＿＿＿＿＿＿＿＿＿＿＿＿＿＿

2）どうして計算をまちがえましたか。[彼に話しかけられました]

…＿＿＿＿＿＿＿＿＿＿＿＿＿＿＿＿＿＿＿＿

3）どうして鳥が逃げたんですか。[子どもが騒ぎました]

…＿＿＿＿＿＿＿＿＿＿＿＿＿＿＿＿＿＿＿＿

8．例：どこ＿で＿先生＿に＿会いましたか。

1）店長はアルバイトの学生＿＿店＿＿やめられて、困っている。

2）母親は、忘れ物をした娘＿＿自転車＿＿追いかけた。

3）会議＿＿遅れて、みんな＿＿迷惑＿＿かけてしまった。

4）シャツ＿＿お茶＿＿こぼしたので、タオル＿＿拭いた。

話す・聞く

1．例：どこ__で__先生__に__会いましたか。

1）帰る途中______雨______降られてしまいました。

2）下の階の木村さん______ ______苦情______あったんです。

…すみません。じゃ、木村さん______はちゃんと謝っておきます。

3）洗濯機の音______迷惑______かけているそうで、すみませんでした。

4）10時______ ______ ______は洗濯を済ませるように気をつけます。

2．

作業	~~夜中~~	家事	犯人

例：子どものとき、（ 夜中 ）に一人でトイレに行くのが怖かった。

1）冷蔵庫に入れておいたケーキがなくなった。どうも（　　　　　　）は弟らしい。

2）今日の（　　　　　　）を説明します。まず、ここにあるごみをあそこに運んでください。

3）休みの日はおばの家で洗濯や掃除などの（　　　　　　）を手伝うことになっている。

あまり	どうしても	遅く	温暖	ぐっすり

4）雪の多い地方で育ったので、ずっと（　　　　　　）所で暮らしたいと思ってきた。

5）心配なことがあって、夜（　　　　　　）目が覚めてしまう。

6）少しぐらいの雨ならいいけど、天気が（　　　　　　）悪かったら、試合は中止だ。

7）最近（　　　　　　）眠れないんです。よく眠れる方法はありませんか。

8）このごろ残業で夜（　　　　　　）帰る日が続いている。

気がつきませんでした	思わなかったものですから	それはわかりますけど

9）先生、お願いします。何とかみんなといっしょに卒業したいんです。

…（　　　　　　　　　　　　）。この成績ではちょっと……。

10）資料を持って来なくてすみません。今日の会議で使うとは（　　　　　　）。

11）あ、ワンさん。テレビをつけっぱなしで出かけたんじゃないですか。音が聞こえますよ。

…そうですか。それは（　　　　　　　　　　　　）。すみません。

3．例：　ケイさんは留守ですか。…ええ、電気が消えているから、留守みたいです。

1）彼は試験に合格しましたか。…ええ、______________________

2）先生はもう帰りましたか。…ええ、______________________

3）この仕事はきついですか。…いいえ、______________________

4）先生は休みを取りましたか。…いいえ、______________________

読む・書く

1．例：どこ＿で＿先生＿に＿会いましたか。

1）検査の結果＿＿＿ショック＿＿＿受けた。

2）料理＿＿＿もう少し塩＿＿＿加えてみてください。

3）このことば＿＿＿は、おもしろい意味＿＿＿含まれている。

4）この地方はどちら＿＿＿ ＿＿＿言えば、温暖なほうだと思う。

5）彼女は車内アナウンスはうるさいだけで何＿＿＿役に＿＿＿立っていないと言った。

6）40年まえは車＿＿＿騒音＿＿＿すごかったですが、今＿＿＿静かになりました。

2．

~~アナウンス~~	カルチャーショック	苦労	安全性	配慮

例：電車で日本語の（　アナウンス　）が聞き取れなかった。

1）若いうちは楽をしないで、少しは（　　　　　　　　）したほうがいい。

2）環境にも（　　　　　　　　）した省エネの方法をもっと考えましょう。

3）外国に留学したとき、文化や習慣の違いで（　　　　　　　　）を受けたことがある。

4）子どもに食べさせても大丈夫か、その（　　　　　　　　）について、調査している。

おかしな	騒々しい	必ずしも	さっぱり

5）留学した娘から（　　　　　　　　）連絡がないので、父親は心配になってきた。

6）どうしたんですか。何も言わずに笑っていて、（　　　　　　　　）人ですね。

7）ゆうべ近所で事件があったみたいで、一晩中（　　　　　　　　）た。

8）お金がたくさんあっても（　　　　　　　　）幸せだとはいえない。

含む	こぼす	加える	分かれる	暮らす

9）授業料には教科書代が（　　　　　　　　）いますか。

10）この店は、品物がよくて安いことに（　　　　　　　　）て、サービスがとてもいい。

11）文化や習慣の違う外国で一人で（　　　　　　　　）のは大変でしょう。

12）賛成の人と反対の人と、意見が（　　　　　　　　）しまった。

13）この子、ごはんを（　　　　　　　　）ないで上手に食べていて、えらいですね。

3．例：神様に「試験に＿合格しますように。＿」とお祈りした。

1）神様に「彼の病気が早く＿＿＿＿＿＿＿＿＿＿＿＿＿＿。」とお祈りした。

2）神様に「事故に＿＿＿＿＿＿＿＿＿＿＿＿＿＿。」とお祈りした。

3）先生に「お体を大切に＿＿＿＿＿＿＿＿＿＿＿＿＿＿。」と手紙を書いた。

4）「最後までお聞き＿＿＿＿＿＿＿＿＿＿＿＿＿＿。」とあいさつした。

~~合格する~~
あう
くださる
なさる
治る

復習
第10課～第12課

名前

1．例：どこ＿で＿先生＿に＿会いましたか。

1）食べ物は安い＿＿＿ ＿＿＿安全なほう＿＿＿いい。

2）遅くなりました。途中＿＿＿雨＿＿＿降られたものです＿＿＿ ＿＿＿。

3）彼女は どちら＿＿＿といえ＿＿＿、よく しゃべるほうだ。

4）車＿＿＿修理＿＿＿出しているんです。

5）この学校での２年間＿＿＿、国で勉強した１年＿＿＿加えると、全部＿＿＿３年勉強したこと＿＿＿なります。

6）ちょっとした不注意＿＿＿事故＿＿＿つながる。

7）あまり費用＿＿＿かけず＿＿＿、楽しい休日＿＿＿送ることができます。

8）髪＿＿＿変な色＿＿＿染めた若者＿＿＿ついてどう思いますか。
…人＿＿＿迷惑＿＿＿かけていないんだから、別にいいじゃないですか。

2．例：外は雨が（降ります→　降って　）います。

1）みんなその知らせにショックを（受けません→　　　　　）はずがない。

2）そんな言い方をすると、人に（誤解されます→　　　　　）こともありますよ。

3）いろいろ（確かめました→　　　　　）結果、情報がうそだとわかった。

4）「火事だ！」という声に、みんな（騒ぐ→　　　　　）だした。

5）何か（言う→　　　　　）忘れたことがあるんですが、何だったか思い出せません。

6）人々はお互いに助け合いながら、（暮らす→　　　　　）きたんです。

7）そんなに（あわてます→　　　　　）ずに、もっと（落ち着きます→　　　　　）たらどうですか。

8）無理しないでください。あなたに病気でも（します→　　　　　）と、困るんです。

9）土曜日は（暇です→　　　　　）たり、（忙しいです→　　　　　）たりします。

10）この牛乳、１か月も前から冷蔵庫に（入れます→　　　　　）ぱなしですね。

11）気候が（温暖です→　　　　　）おかげで、母の体調もよくなった。

3．例：どうぞ［（ゆっくり）　はっきり　だんだん］休んでください。

1）大切なメモを、［がっかり　うっかり　すっかり］どこかに置き忘れてしまった。

2）この会議は時間［通りに　はっきり　きちんと］始まったことがないですね。

3）［しっかり　うっかり　ぼんやり］歩いていて、友達にぶつかってしまった。

4）えっ、あの方は妹さんですか？［てっきり　せっかく　はっきり］奥さんだと思っていました。

5）この地方は雪は降るが、積もることは［さらに　めったに　さっぱり］ない。

6）困ったことがあったら、［いっしょに　わざわざ　互いに］助け合う社会になるといいですね。

7）祖父は［いかにも　今にも　どうしても］かわいくてたまらないというような顔をして、孫と遊んでいる。

8）この作文は助詞の間違いが［いくつも　いくつか　いくつの］あるだけで、内容はとてもすばらしいと思う。

9）安くておいしくて、［いまさら　さらに　すると］体にもいい食べ物は何ですか。

10）娘は大きくなって［そっくり　次々に　ますます］母親に似てきた。

11）言い方が［あまり　たまに　わざわざ］丁寧だと、変に思われることがある。

12）みんなの前に立つと、［少なくとも　どうしても　なぜ］緊張してしまいます。

13）涼しい夏なので、エアコンが［さっぱり　しっかり　てっきり］売れないと電気屋の人が話していた。

14）お金があっても［いかにも　もともと　必ずしも］幸せだとは言えない。

4．例：バランス（　を　）＿とる。＿

1）ショック（　　）＿＿＿＿＿た。

2）日（　　）＿＿＿＿＿部屋だ。

3）車は修理（　　）＿＿＿＿＿ある。

4）元気（　　）＿＿＿＿＿ください。

5）まわり（　　）迷惑（　　）＿＿＿＿＿はいけない。

6）楽しい生活（　　）＿＿＿＿＿いる。

7）あまり費用（　　）＿＿＿＿＿ずに、修理したい。

8）なかなか宝くじ（　　）＿＿＿＿＿ない。

~~とる~~
かける
出す
当たる
受ける
送る

5.

~~聞き返す~~	見かける	あわてる	住み着く	建つ
つながる	追いかける	暮らす	含む	

例：日本人が言ったことがわからないとき、何と言って（　聞き返し　）たらいいですか。

1）この森に動物たちが静かに（　　　　　　　　）いたが、だんだん近くに人間たちが（　　　　　　　　）て、森の木をどんどん切っていったのでした。

2）ここは山の中で、いくらかけても電話が（　　　　　　　　）ない。

3）湖のそばに、一軒の小さな家が（　　　　　　　　）います。

4）この野菜はたくさんの栄養を（　　　　　　　　）います。

5）財布を忘れて出かけた弟を（　　　　　　　　）が、もうどこにも見えなかった。

6）学校に遅れそうになって、（　　　　　　　　）家を出たので、本を忘れてしまった。

7）やっぱり京都では着物を着た人を（　　　　　　　　）ことが多いですね。

おかす	驚く	転ぶ	引き起こす	もうける	治める
落ち着く	染める	積もる	加える	こぼす	鳴る

8）子どもがジュースをコップに入れようとして、床に（　　　　　　　　）しまった。

9）「火事だ！」という声が聞こえたが、祖母は（　　　　　　　　）、着替えを始めた。

10）小さな失敗が続いて、事故を（　　　　　　　　）しまった例がある。

11）雪が（　　　　　　　　）道を歩いていて、すべって（　　　　　　　　）しまった。

12）高校生の弟が髪の毛を茶色に（　　　　　　　　）たら、先生にしかられたそうだ。

13）彼は商売で（　　　　　　　　）たお金を、教会や病院に寄付している。

14）この工場では小さいミスでも（　　　　　　　　）ないように、みんなが気をつけている。

15）昔、一人の立派な王様がこの国を（　　　　　　　　）いました。

6．［　　　　］の言い方を使って、答えましょう。

1）Aさん（あなたが知っている人）は今何をしていますか。　［～はずです］

例：友人のヨウさんは今、会社で働いているはずです。

…

2）Aさんの、どんなところがその人らしいですか。　［いかにも～らしい］

例：テストが悪くても、ぜんぜん気にしないところが、いかにもマイさんらしいです。

…

3）あしたのパーティーに行けますか。　［～はずでしたが、～］

…いいえ、

4）食事は自分で作りますか。　［～こともあります］

…いつも＿＿＿＿＿＿が、

5）休みの日はどんなことをしたいですか。　［～ずに］

…

6）日本語を話したり、書いたりすることはどうですか。［(動詞) より、(動詞) ほうが］

…

7）あなたの国の有名な人や物、所などを紹介してください。　［～として］

…

8）学校のテストはいつも簡単ですか。　［(形容詞) たり、(形容詞) たり］

…いいえ、

9）今までで、うれしかったことを書いてください。［～おかげで、～］

…

10）今までで、嫌だった／残念だったことを書いてください。［～せいで、～］

…

総復習
第1課～第12課

名前　　　　　　　　　／100点

1．例：どこ＿で＿先生＿に＿会いましたか。　(1 × 23 = 23)

1）わたしの国にも日本の居酒屋＿＿＿ような店があります。

2）彼はなぜかわたしに会うの＿＿＿避けているようだ。

3）山田さん＿＿＿ ＿＿＿あなた＿＿＿の伝言がありますよ。

4）そのこと＿＿＿ついてはわたし＿＿＿説明させていただけません＿＿＿。

5）ちょっとした不注意＿＿＿大きな事故＿＿＿つながる。

6）畳の部屋＿＿＿和室＿＿＿いいます。

7）友人の頼み＿＿＿受けること＿＿＿しました。

8）わたしも若いときは両親＿＿＿困らせたものだが、今は息子＿＿＿心配させられている。

9）先生、紹介します。妹＿＿＿まりこです。

10）あなたが留守のあいだ＿＿＿何回＿＿＿電話があって、大変だったんですよ。

11）玄関＿＿＿出たところ＿＿＿待っていてください。

12）バスでお年寄り＿＿＿席＿＿＿譲ろう＿＿＿したら、「降りるから、いいよ。」と言われた。

2．例：友達に辞書を貸して（ (もらい)　くれ ）ました。　(1 × 18 = 18)

1）彼は辛いものが苦手（ よう　みたい ）ですね。

2）子どもたちに、あの池には近づかない（ という　ように ）注意しました。

3）すみません、熱があるので、早退（ してほしい　させてもらいたい ）んですが。

4）彼は人から何か頼まれても、嫌（ そうな　そうに ）顔もせずに引き受ける。

5）太ってきたから、食べる量を減らすことに（ しないと　ならないと ）…。

6）トイレは2階にあります。あの階段を（ あがる　あがった ）ところです。

7）困っている人を助けない（ なんか　なんて ）、ひどい男だ。

8）まっすぐ行くと信号がありますから、（ そこ　あそこ ）を右に曲がればいいですよ。

9）先生が名前を呼ぶ（ まで　までに ）、あちらの部屋で待っていてください。

10）検査の結果（ によって　について ）医者から説明を聞いた。

11）彼はその話を知らない（ はずな　はずがない ）のに、「初めて聞いた」と言った。

12）彼は今までお金がいちばん大切だと考えながら生きて（ いった　きた ）そうだ。

13）あの建物は今は倉庫（ として　について ）使われている。

14）長いあいだ雨が降ら（ ず　ずに ）、みんな困っている。

15）わたしは大きい病気をした（ おかげで　せいで ）健康の大切さを考えるようになった。

16）いかにも日本人家庭の朝ごはん（ らしい　らしく ）メニューですね。

17）（ これ　それ　あれ ）は新聞で読んだのですが、日本の人口が減っているそうですね。…へえ、（ これ　それ　あれ ）は知りませんでした。

3\.

返す	合わせる	換える	かける	遅れる	入れる	加える	分ける

(2 × 9 = 18)

例：次の駅で京都へ行く電車に（乗る→　乗り換え　）ます。

1）このエアコン、もうだいぶ古いから、そろそろ（買う→　　　　）ほうがいいですね。

2）２つのアドレスを、仕事用と個人用に（使う→　　　　）います。

3）いろいろな形のカードを（組む→　　　　）、絵を完成させます。

4）先生は「また、あした」と言ってから、「宿題を忘れないでね」と（付ける→　　　　）た。

5）友達が何か言ったので、「えっ、何？」と（聞く→　　　　）た。

6）忘れ物を取りに戻ったために、いつもの電車に（乗る→　　　　）しまった。

7）女の人が、魚をとって逃げる猫を（追う→　　　　）いる漫画を見た。

8）その会社では、若い社員のアイディアをどんどん（取る→　　　　）いるそうだ。

9）すみません、今大事な仕事をしているので、（話す→　　　　）ないでください。

4\. 例：（安いです→　安けれ　）ば、買いたいです。　(1 × 19 = 19)

1）一言（付け加えます→　　　　）せてもらえませんか。

2）そのことについては、みんなで（話し合います→　　　　）ことになっています。

3）この試合はどうも（勝てます→　　　　）そうもありませんね。

4）わたしは子どものとき、父に柔道を（習います→　　　　）れたことがあります。

5）孫が帰って、おじいさんは（寂しいです→　　　　）がっています。

6）雑誌にこの国の人々は生活が（豊かです→　　　　）という記事が載っていた。

7）彼は自分の間違いを（認めます→　　　　）としませんでした。

8）わたしは彼の誘いを（受けます→　　　　）つもりはありませんでした。

9）そんなに（怒ります→　　　　）ばかりいると、体に悪いですよ。

10）その国のことばを（学びます→　　　　）なら、やっぱり留学するのがいちばんだと思う。

11）大きなリュックを（背負います→　　　　）男がこちらに近づいてきた。

12）彼は（黙ります→　　　　）まま、何も言いませんでした。

13）説明が（専門的→　　　　）ために、理解できる人は少なかった。

14）みんなの希望を（聞きます→　　　　）結果、旅行は草津温泉に決まった。

15）結婚式で、この服はどちらかといえば、（地味です→　　　　）ほうだ。

16）ひどい（渋滞です→　　　　）せいで、到着がだいぶ遅れてしまった。

17）今朝、隣の部屋の目覚まし時計が（鳴る→　　　　）ぱなしで、うるさかった。

18）仕事は日によって違う。（きついです→　　　　）り、（楽です→　　　　）りします。

5．例：ありがとうございました。…［　a　］　　　（1 × 9 ＝ 9）

1）わたしが司会ですか？　困ったなあ。…［　　　］

2）すみませんでした。気を悪くしないでください。…［　　　］

3）主人は留守です。わざわざ来ていただいたのに、すみません。…［　　　］

4）この資料、ありがとうございました。助かりました。…［　　　］

5）せっかくですが、今回は遠慮させてください。…［　　　］

6）先生、今ちょっとよろしいでしょうか。…［　　　］

7）いかがでしたか、今度の見学は。…［　　　］

8）これから、吉田さんたちも誘って、カラオケにでも行きませんか。…［　　　］

9）もしもし、さくら小学校の上田ですが。…［　　　］

~~a~~	~~どういたしまして。~~
b	そうですか、残念です。
c	あ、いつも娘がお世話になっております。
d	それも悪くないですね。
e	お役に立ててよかったです。
f	いいえ、また連絡しますから。
g	何とか引き受けてもらえないでしょうか。
h	とてもいい勉強になりました。
i	あ、はい、何ですか。
j	いいえ、わかってもらえればいいんです。

6．次の文の「た」と同じ使い方をしている文に○を書きましょう。

あの着物を着た人はだれですか。（「着ている」という意味です）

1）［　　　］一匹の年をとった犬が歩いていました。

2）［　　　］あした来た人に渡す資料はもうコピーしましたか。

3）［　　　］日本で知り合った人たちからメールが来ました。

4）［　　　］ぬれたタオルはあそこにかけておいてください。

7．1）～4）の「らしい／らしくない」は、次のうちのどちらですか。　(1×4＝4)

A　その日は春らしい暖かい一日でした。

B　まりこさんに恋人ができたらしいですね。

1）[　　　]歴史の古い町らしい、伝統的なお祭りです。

2）[　　　]あのことば遣いはどうも沖縄方言らしいですね。

3）[　　　]社員旅行はどこへ行くか決まったらしいですが、知っていますか。

4）[　　　]そういうマナーの悪さは先進国らしくないと感じました。

8．1）～5）の「の」は、次の３つのうちのどれですか。ないものには×をつけましょう。

(1×5＝5)

A　あなたの好きな色は何ですか。

B　来週じゃなく、あさっての金曜日、伺います。

C　彼との約束を忘れていました。

1）[　　　]ミラーさんが出張先のパリから電話をかけてきました。

2）[　　　]神戸までの切符はいくらですか。

3）[　　　]あの人、確かバスケットボールの選手ですよね。

4）[　　　]何か元気の出るいい話ですね。

5）[　　　]あなたが話している「きりん」は、動物の「きりん」ですか。

執筆協力

東次成　田中よね

表紙イラスト

さとう恭子

みんなの日本語中級Ⅰ　標準問題集

2012年4月29日　初版第1刷発行
2020年12月23日　第8刷発行

編著者　スリーエーネットワーク
発行者　藤嵜政子
発　行　株式会社　スリーエーネットワーク
〒102-0083 東京都千代田区麹町3丁目4番
トラスティ麹町ビル2F
電話　営業 03（5275）2722
編集 03（5275）2726
https://www.3anet.co.jp/
印　刷　倉敷印刷株式会社

ISBN978-4-88319-594-7　C0081

解答

みんなの日本語中級Ⅰ　標準問題集

・省略できる部分は［　］に入れました。

・正答が複数ある場合は ／ で区切って示し、答えがいろいろ考えられる場合は例として示しました。

第１課

文法・練習

1．１）４階まで運んで　２）荷物を取って
　３）簡単に説明して
　４）病院へ連れて行って

2．１）鳥のように　２）バナナのような
　３）冬のような　４）お祭りのように

3．１）［掃除機／テレビ］のような電気製品
　２）［しょうゆ／塩］のような調味料
　３）［トイレ／台所］のような設備
　４）［現金／カード］のような大切なもの

4．１）考えることが　２）なくすことは
　３）優勝することを
　４）飼うことに

5．１）奨学金　２）自動販売機
　３）おせち料理

6．１）例：ケイさんという、(おかしを作るのが上手な)
　２）例：ソンクラーンという(水をかける)
　３）例：チヂミという（お好み焼きのような）

7．１）何を食べても　２）だれに聞いても
　３）いつ入っても　４）どこで買っても

8．１）で、に　２）を　３）に　４）を、と

9．１）似合わ　２）目指して　３）明るく
　４）いっぱいに　５）立派な　６）まるで
　７）欠点　８）中　９）過ぎ

話す・聞く

1．１）と　２）が、で　３）は、に
　４）の、を　５）か、か

2．１）断ろ　２）引き受けて　３）実際に
　４）何とか　５）伝統的な　６）内容
　７）ふだん　８）市民　９）お礼

3．１）それなら　２）そういう　３）それで

4．１）例：お茶じゃなくて、ジュースを／が飲みたいんです。
　２）例：中学生じゃなくて、小学生なんです。
　３）例：パスポートじゃなくて、健康保険証が要るんです。

読む・書く

1．１）に、に　２）に、を、に／で
　３）を、で　４）を

2．１）敷いて　２）使い分ける
　３）たたんで　４）重ねて　５）清潔に
　６）最も　７）ちょうど　８）快適に
　９）印象

3．１）何冊も読んでみた
　２）何人も休んでいる
　３）何回／何度も起きた
　４）何枚もむだにした

4．１）会いに来たのではありません
　２）泣いているのではありません
　３）一日中やるのではありません

第２課

文法・練習

1．１）例：急いだら、(電車に）間に合いました。
　２）例：誘ったら、行かないと言われました。
　３）例：頼んだら、嫌だと言われました。

2．1）開けたら、おいしそうなお菓子が入っていました。
　2）帰ったら、手紙が来ていました。
　3）見たら、財布がありませんでした。
　4）着いたら、授業が始まっていました。
3．1）環境を考える　2）自分が生まれた
　3）大阪の人が話す　4）お金は要らない
4．1）犬の世話をするように言われました。
　2）騒がないように注意しました。
　3）二人が幸せになるようにお祈りしました。
　4）時間に遅れないように伝えてください。
　5）駅まで送ってくれるようにお願いしました。
5．1）開かれたというニュース
　2）結婚するかもしれないといううわさ
　3）役に立たないという意見
　4）建てるという夢
　5）働かないという習慣
6．1）子どもみたいに　2）夢みたいです。
　3）薬みたいな　4）日本人みたいに
7．1）に、と、を、と　2）を、を
　3）に、を　4）に、が
8．1）事件　2）以外　3）学習
　4）栄養　5）記事　6）うわさ
　7）結果

話す・聞く

1．1）に、か　2）の、と
　3）の、に、と、の　4）の、で
2．1）工事、断水　2）お宅　3）休日
　4）ごめんください
　5）何のことですか　6）それで
3．1）お宅　2）お玄関　3）ご迷惑
　4）ご協力　5）おけが
4．1）お疲れのところ
　2）お話し中のところ
　3）お急ぎのところ
　4）お楽しみのところ

読む・書く

1．1）とか、とか　2）しか　3）と
　4）に　5）が、か　6）に、と
2．1）いまさら　2）別の　3）苦手に
　4）普通に　5）いまだに　6）全く
　7）正確だ　8）例えば　9）紛らわしい
　10）とんでもない　11）また
　12）アイデンティティー　13）アポ
　14）バランス　15）ポリシー

第3課

文法・練習

1．1）荷物を置かせて
　2）あしたも来させて　3）質問させて
　4）に答えさせて
　5）にも意見を言わせて
2．1）帰ることにします
　2）開かれることになった
　3）出張することになった
　4）買わないことにします／しました
3．1）着くことになっています
　2）借りないことにしています
　3）電話することにしています
　4）戻ることになっています
4．1）起きてほしい
　2）買わないでほしい
　3）長く話さないでほしい
　4）言わないでほしい　5）出てほしい
　6）給料をとって／もらってほしい
5．1）降りそうな　2）うれしそうに
　3）元気じゃなさそうな

4）食べたくなさそうに
5）できそうな　6）よさそうに

6．1）間に合いそうです
2）取れそうもありません
3）咲きそうもありません
4）止まりそうです

7．1）家庭　2）数　3）景気　4）通勤
5）要望　6）事情　7）受けた
8）話し合って　9）減らさ
10）しゃべった

話す・聞く

1．1）で　2）を、に、に　3）か、を
4）で

2．1）急用　2）変更　3）渋滞
4）代わりました　5）できれば
6）取って　7）気にし　8）わざわざ
9）困りましたね　10）申し訳ありません
11）かまいませんよ

3．1）みんなが帰ったあと、わたしは残って仕事をしました。
2）その話を聞いたあと、いつまでも涙が止まりませんでした。
3）会社をやめたあと、しばらく田舎に住もうと思っています。

読む・書く

1．1）が、と　2）を　3）を　4）に
5）に、に

2．1）傾向　2）瞬間　3）意識
4）調査　5）幸せだ　6）悲観的に
7）避け　8）感じ　9）最高に
10）やはり

3．1）赤ちゃん用　2）出張先
3）事務室　4）教育用　5）輸出先

復習　第1課～第3課

1．1）の、には　2）を、と　3）が、と
4）に、も　5）と、の、と
6）の、が、か　7）に、を　8）に、を
9）と、と、が／の　10）を、と

2．1）分けて　2）本物の　3）みたいに
4）話し合う　5）お目にかかって
6）海じゃなく　7）嫌いな　8）量った
9）飲みすぎない　10）お疲れの
11）しゃべらない　12）降らないで
13）おとなし　14）消えた　15）ついて

3．1）こと　2）あと　3）そう　4）こと
5）よう　6）こと　7）よう
8）ところ　9）こと

4．1）傾向　2）表現　3）交流
4）目上　5）印象　6）要望
7）栄養　8）担当　9）家庭
10）事情　11）変更　12）欠点
13）意識　14）調査、結果

5．1）減らす　2）敷いて　3）たたんで
4）動かそ　5）断ら　6）感じ
7）迷って　8）ふく　9）重ねて

6．1）紛らわしい　2）明るく
3）伝統的な　4）正確だ
5）おとなしく　6）快適な　7）清潔に
8）悲観的に　9）苦手　10）立派な

7．1）いっぱい　2）わざわざ　3）やはり
4）できれば　5）いつまでも
6）瞬間　7）いまだに　8）いまさら
9）ちょうど　10）まるで
11）全く　12）ふだん

8．1）f　2）c　3）g　4）e　5）b
6）d　7）i

第４課

文法・練習

1．1）ダンさんは元気だ
　2）先週大雨だった
　3）修理しなければならない
　4）ぜひわたしに会いたい

2．1）壊れちゃったんです。
　2）片づけといてください。
　3）待ってよう。

3．1）むだである　2）大嫌いであった
　3）何であるか　4）本当であったら

4．1）寂しがって　2）恥ずかしがら
　3）食べたがっている／食べたがる
　4）負けたがらない

5．1）（ヤンさんに）１時間待たされました。
　2）（友達に）弁当代を払わされました。
　3）（母に）お茶を入れさせられました。
　4）（先生に）国のことを話させられました。
　5）（部長に）残業させられました。
　6）（彼女に）荷物を運ばされました。

6．1）正しく、これはまちがいだ。
　2）会社に通い、夜は大学で勉強した。
　3）かわいく、ピアノが弾け、生け花もできる。
　4）若く、健康であり、将来が楽しみだ。

7．1）持つことに
　2）撮ってはいけない（という）ことを
　3）大変なことは
　4）働き過ぎであることは
　5）背が高いということを

話す・聞く

1．1）で、に　2）で　3）が、を
　4）に、を

2．1）取り消し　2）売り切れ
　3）急な／急に、そのように
　4）あいにく

3．1）着きましたら
　2）いらっしゃいましたら
　3）（ご）無理でしたら
　4）ご存じでしたら

4．1）レストランの「北京」
　2）キャンディーのあめ
　3）かたかなの「ヲ」
　4）留学生のエイさん

読む・書く

1．1）に、の　2）に　3）に、と
　4）の、に　5）も　6）を

2．1）参加者　2）数か月後　3）利用者
　4）おもしろさ　5）おふろ嫌い　6）状

3．1）勧めて　2）つないで
　3）しつこく　4）味わっ　5）早速
　6）それから　7）結局　8）絶対に
　9）失礼な

第５課

文法・練習

1．1）その　2）あんな　3）そこ
　4）あの、それ

2．1）無理なんじゃないですか。
　2）要らないんじゃないですか。
　3）帰ったんじゃないですか。

3．1）出たところで　2）曲がったところに
　3）渡ったところで

4．1）渡ろう、e　2）払おう、a
　3）浴びよう、b　4）持とう、c

5．1）買おうとしても・買えない
　2）言おうとしても・言えない
　3）書こうとしても・書けない
6．1）やせられるのだろうか。
　2）有名なのだろうか。
　3）使っているのだろうか。
　4）申し込めないのだろうか。
7．1）家族への手紙　2）大阪までの電車
　3）吉田さんからのお土産
　4）会議での説明
8．1）例：授業があるから、来るだろう
　2）例：料理が上手だから、おいしいだろう
　3）例：(父は) 今日は休みだから、うちでゆっくりしているだろう
9．1）を　2）から、が　3）に　4）まで

話す・聞く

1．1）の　2）に　3）の、を　4）から
　5）を　6）を、に、へ
2．1）分かれて　2）流れて　3）出る
　4）沿って　5）道順　6）向こう側
　7）横断歩道　8）芸術　9）先
　10）突き当たり
3．1）例：ごみを捨ててきて
　2）例：そこに車を止めて
　3）例：借りてきて／持ってきて
　4）例：そのバスに乗って／ここで待っていて

読む・書く

1．1）を、に　2）に／で、を　3）を、の
　4）に　5）を、に
2．1）差別、平等　2）常識
　3）上下、左右　4）人間
　5）位置、中央　6）わざと
　7）少なくとも　8）逆に
　9）観察して　10）使用し　11）努力し
　12）無意識に
3．1）の、は　2）が／の、が　3）は、の
　4）が／の、が

第6課

文法・練習

1．1）幸せだって　2）ありがとうって
　3）いいことは急いでやろうって（いう）
2．1）買うつもりはありません
　2）行くつもりでした
　3）貸すつもりはありません
　4）出さないつもりだった
3．1）買ったつもり
　2）かいているつもり
　3）頑張っているつもり
　4）作ったつもり
4．1）例：肉ばかり
　2）例：冷たいものばかり
　3）例：自分のことばかり
　4）例：妹にばかり
5．1）働いてばかり
　2）話して／しゃべってばかり
　3）しかられてばかり
　4）泣いてばかり
6．1）例：甘いとか、辛いとか
　2）例：夜は食べないとか
　3）例：ものを食べるとか
　4）例：勉強するとか、掃除するとか
7．1）してき　2）見えてき
　3）わかってき　4）寒くなってき
8．1）近づいてきた　2）入っていく
　3）引っ越していって

4）帰ってくる、走っていき

9．1）で、を　2）に、に　3）に、の

4）を、を

10．1）一生　2）就職　3）振り

4）学び

話す・聞く

1．1）に、を　2）を／は、に　3）で、を

4）に、の　5）で

2．1）交渉　2）条件　3）延期

4）担当　5）期間　6）授業料

7）週　8）つかんだ　9）買い換えた

10）出して　11）取り入れる

12）よろしいでしょうか　ことなんですが　行かせてほしいんですが、無理なら

読む・書く

1．1）に、を　2）と、に　3）を、と

4）で、を

2．1）想像　2）解決　3）理想

4）イメージ　5）具体的な

6）過去　7）世の中　8）立てて

9）向き合って　10）近づいて

11）指して　12）閉じ　13）見える

3．1）若い時、男の人に人気があったこと

2）先生が学校をやめること

3）男が泣くのは一生で3回だけ

復習　*第4課～第6課*

1．1）の、から　2）を、に

3）とか、とか　4）か、に　5）に、を

6）を、と、に

2．1）着いた　2）買わ　3）来た

4）無理な　5）ください　6）苦手な

7）渡った　8）ふこ　9）認めよ

10）必要な　11）かかってくる

12）断ったつ　13）しゃべる　14）若い

15）来た、泣いて

16）不安だ、減らさなければならない

17）太って　18）近づいて

3．1）あいにく　2）少なくとも

3）わざと　4）さっそく　5）つまり

6）もともと　7）自然に　8）一生

9）結局

4．1）深く　2）嫌いの　3）平等に

4）失礼な　5）残念　6）苦しくて

7）具体的な　8）美し　9）しつこく

10）急な　11）不思議

12）認める　13）指し　14）取り消さ

15）増やさ　16）つかむ　17）勧め

18）流れる　19）味わって　20）学んだ

21）愛して　22）合わせた

5．1）例：あした10時に東京に着くということです。

2）例：みんな寂しがるでしょうね。

3）例：うちを出ようとしたとき、急におなかが痛くなったんです。

4）例：ＣＤを聞くとか、漢字を書くとかしています。

5）例：寿司を食べるつもりだったんですが、お金がなくて、結局パンを食べました。

6）例：働いてばかりいないで、少し休んだほうがいいと言われました。

6．Ⅰ　1）熱くなったもの

2）同じものでも、（わたしたちと日本人とで）見方や考え方が違うこと

Ⅱ　3）男の子が前の父親に会ったとき

4）こんにちは（ということば）

5）寂しそうな顔をしたこと／理由

6）「こんにちは」はいっしょに住んでいる家族には言わないから。

第7課

文法・練習

1．1）戻さなくてもかまいません。
2）謝らなくてはなりません。
3）払わなくてもかまいません。
4）なくてもかまいません。
5）冷たくなくてはなりません。
6）赤でなくてはなりません。

2．1）例：トイレへ行くだけです。
2）例：疲れただけです。
3）例：野菜を切るだけです。
4）例：ごみが入っただけです。

3．1）混ぜるだけで、［c］
2）かむだけで、［e］
3）見ただけで、［f］
4）手伝っただけで、［d］
5）しなかっただけで、［b］

4．1）例：わたしなんか、まだまだ（下手）です。
2）例：薬なんか飲まなくても大丈夫です。
3）例：アニメなんか、子どもが見るものだ。

5．1）彼がまじめだなんて､信じられません。
2）11月に桜が咲くなんて、普通じゃありません。
3）自分が事故にあうなんて、考えたことが／もありません。
4）80歳でエベレストに登るなんて、普通できません。

6．1）親を喜ばせる
2）子どもにけがをさせない
3）子犬を死なせて
4）赤ちゃんを笑わせる
5）わたしを困らせ
6）みんなを怖がらせる

7．1）感心させられます。
2）考えさせられました。
3）がっかりさせられました。
4）困らされる

8．1）例：買い物に行くなら、牛乳を買ってきてください。
2）例：要らないなら、わたしにください。
3）例：そうだね。買い換えるなら、大きいのにしよう。
4）例：辞書を持っていないなら、この辞書を貸してあげますよ。
5）例：都合が悪いなら、来なくてもかまいませんよ。

話す・聞く

1．1）で、に　2）で、と　3）で、を
4）に、を　5）に、を　6）で、に、を

2．1）点数　2）今回　3）同僚
4）冗談　5）見物　6）感動
7）空いて　8）遠慮し
9）待ち合わせた　10）表す
11）受けた　12）たいした　13）きつい
14）あらためて　15）いろんな
16）せっかく

読む・書く

1．1）で、と　2）に、も　3）が
4）を、か　5）ながら

2．1）感心　2）喜んで　3）いじめて
4）譲って　5）震えて　6）助けて

7）丸い　8）次々に　9）ぐらい

10）ポツリと　11）すると、いや

3．1）助けてくれ　2）帰ってくれ

3）泣かないでくれ　4）出てくれ

第8課

文法・練習

1．1）例：車の免許をとりたいです。

2）例：わたしは部屋を掃除していました。

3）例：ずっと寝ていました。

4）例：ずいぶんきれいになった。

2．1）試合に勝つまで、あきらめません。

2）試験が始まるまでに、トイレに行きます。

3）卒業するまでに、N1に合格したいです。

4）先生に注意されるまで、まちがいに気がつきませんでした。

3．1）壊れた自転車をもらいました。

2）開いた窓から風が入ってきます。

3）割れたガラスで指を切ってしまった。

4）鍵がかかった部屋から音がします。

5）切手をはった封筒があります。

4．1）店によって違います。

2）日によって食べるものが違います。

3）相手によって、言い方が変わります。

4）漢字によっていろんな読み方があるのもあります。

5．1）入ったまま、[d]

2）入れたまま、[e]

3）借りたまま、[c]

4）なったまま、[f]

5）はいたまま、[b]

6．1）例：日本の会社で働きたいからです。

2）例：忘れ物をしたからです。

3）例：試合で優勝したからでしょう。

4）例：病気になったからだ

7．1）まま　2）の、に、を　3）で、を

4）に、が　5）の、から

8．1）人生　2）退職　3）ことば遣い

4）生　5）社会勉強

話す・聞く

1．1）の　2）を、を　3）の　4）を

5）まで

2．1）特徴　2）姪、身長　3）持ち物

4）無地　5）迷子　6）背負う

7）確か　8）枯れた　9）眠れ

10）焦げて　11）もったいない

12）平凡な　13）専門的な

4．1）かわいい目をしています。

2）おもしろい形をしています。

3）チョコレートのような色をしています。

4）母のように優しい声をしています。

読む・書く

1．1）に、を　2）に、を　3）と、を

4）を、に　5）を、に、に

2．1）関心　2）魅力　3）対象

4）共通　5）多様化　6）発展

7）ダメージ　8）反対に

9）時に　10）豊かに　11）与えて

12）輝いて　13）伸びた　14）述べる

第9課

文法・練習

1．1）お探しですか。　2）お泊まりですか。

3）お書きですか。　4）お休みですか。

5）お使いですか。

2．1）ビールでもかまいません
2）きつくてもかまいません
3）待ってもかまいません
4）地味でもかまいません
5）捨ててもかまいません

3．1）例：佐藤先生ほど厳しくないです。
2）例：エイさんほどまじめじゃありません。
3）例：ミラーさんほど知りません。
4）例：先週の試験ほど難しくなかったです。

4．1）地震ほど怖いものはありません。
2）彼女ほど勉強に熱心な人はいません。
3）あの美術館ほど知られているところはありません。
4）あの時ほど困ったことはありません。
5）彼ほど頼みやすい人はいません。

5．1）例：事故のために
2）例：働きすぎたために
3）例：台風のために
4）例：気をつけなかったために

6．1）都合が悪くなかっ（たら、）行ける（でしょう。）
2）道がすいていなけれ（ば、）飛行機に間に合わなかった（でしょう。）
3）健康だっ（たら、）山登りができた（でしょう。）
4）雨がひどけれ（ば、）試合は続けられなかった（でしょう。）
5）その国のことばを知らなかっ（たら、）生活が不便（でしょう。）／だった（でしょう。）

7．1）に、で、を　2）を、に　3）で、が
4）まで

8．1）済んだ　2）生きて　3）決まった
4）とれ

話す・聞く

1．1）に、の、が　2）の、に、を
3）を、が、の　4）に、を

2．1）シルバー　2）例文　3）商品
4）検索　5）留守番　6）しっかり
7）付け加え　8）シンプルな
9）こうやって　10）編集
11）そうですね　それに
12）それでしたら　よろしいんじゃないでしょうか　そうですか

読む・書く

1．1）に、を、で　2）を、に
3）に、でも　4）に　5）が、に
6）に、を、の

2．1）きっかけ　2）地域　3）乾燥
4）暮らし　5）自慢　6）実現
7）資源　8）機能

3．1）単なる　2）関係なく　3）今では
4）録音する　5）誇る　6）役立つ
7）表れて　8）貸し出して

復習　第7課～第9課

1．1）と、は　2）を、で　3）で、を、を
4）が、なら　5）が、まで
6）が、か、に　7）を、から
8）を、を　9）までに
10）より、ほど

2．1）広く　2）変な　3）笑わせる、させ
4）続ける　5）やむ　6）載せた
7）脱いだ　8）頼んだ、無理だ
9）お思い　10）複雑な
11）よけれ、行けた

3．1）今では　2）どんどん　3）しっかり

4）せっかく　5）ところが
6）つぎつぎに　7）ときに
8）あらためて　9）すると
4．1）たいした　2）単なる　3）きつい
4）専門的な　5）いろんな　6）平凡な
7）豊かな、もったいない　8）役立つ
5．1）誇って　2）輝いて
3）とれる／た　4）貸し出さ　5）眠れ
6）譲ろ　7）黙って　8）付け加え
9）済んだ　10）いじめられ
11）空いた　12）枯れて
13）表す、助けて、表れ　14）与える
15）焦げて　16）遠慮し　17）震えて
6．1）例：持ってこなくてもかまいません。
2）例：ただ焼くだけでいいんです。
3）例：彼がいなかったら、負けたでしょう。
4）例：先生がおもしろいことを言っ(て)、笑わせるんです。
5）例：帰るのなら、窓を閉めて帰ってください。
6）例：ちょっと買い物に行っている間に、入られたんです。
7）例：いいえ、土地によって話すことばが違います。
8）例：なべをかけたまま電話で話していて、料理が焦げてしまいました。
9）例：母ほど、人に親切な人はいません。
10）例：知らない人を信じたために、お金をとられたことがあります。

第10課

文法・練習

1．1）入れるはずだ。
2）足りないはずだ。
3）大丈夫なはずがない。
4）禁煙のはずだ
5）飲まないはずがない。
2．1）終わるはずだった
2）勝つはずだった／負けないはずだった
3）晴れるはずだった
4）休みのはずだった
3．1）込んでいることもあります。
2）わからないこともあります。
3）にぎやかなこともあります。
4）調子が悪いこともあります。
5）使うこともあります。
4．1）研究の結果、この病気の原因がわかった。
2）検査してもらった結果、入院することになった。
3）学校と交渉した結果、授業料が安くなった。
5．1）出し　2）始め　3）始め　4）続け
5）終わる　6）始め
6．1）合って　2）忘れて　3）合う
3）忘れて　4）換えた
7．1）で、を　2）を　3）で、に　4）を
5）が　6）と、の、に
8．1）めったに　2）お互いに　3）実際
4）時間通りに　5）投票

話す・聞く

1．1）を、に　2）を／は、と　3）と
4）から　5）と　6）が、のを
2．1）誤解　2）倉庫　3）親し
4）マニュアル　5）てっきり　6）否定
7）見かけた　8）もうけ　9）当たっ
10）怒ら　11）通じ　12）聞き返し
13）出して　14）驚いた
15）そんなはずはありません

16）気を悪くしないでください
　わかってもらえればいいんです

読む・書く

1．1）を、が　2）が、に　3）が、を、と
　4）の　5）の、を、ば
2．1）一方　2）うっかり　3）または
　4）ぼんやり　5）深く　6）つながった
　7）転んで　8）おかして
　9）引き起こす
3．1）やまなけれ（ば、試合は）できないということになる。
　2）欠席する（と、学校を）やめなければならないということになる。
　3）あしたも雨（なら、1週間）降り続いたということになる。
　4）答えられれ（ば、あの子の頭は）大学生レベルということになる。

第11課

文法・練習

1．1）いく　2）き　3）くる　4）いけ
2．1）もう帰ったら　2）交番に届けたら
　3）休んだら
3．1）忙しいより、暇なほうが
　2）考えるより、行動するほうが
　3）新しいのを買うより、修理に出すほうが
4．1）夏らしく　2）あなたらしくない
　3）医者らしくない
　4）サラリーマンらしい
5．1）かなり上手だったらしいです
　2）父親が大反対らしいです
　3）時間をまちがえたらしいです
6．1）学校の代表として出たんです。
　2）タクシー代としてもらったんです。
　3）ハイキングコースとしても知られています。
7．1）予約せずに　2）使わずに
　3）捨てずに、取ってあります。
　4）だれにも頼まずに、自分でやります。
8．1）お酒も飲まず、たばこも吸いません。
　2）何も見ず、だれにも聞かず
　3）あわてず、騒がず
9．1）二度焼けています。
　2）一度も選ばれていません。
　3）何度も起きています。
　4）一人も死んでいません。

話す・聞く

1．1）に、を　2）と、に　3）の、に
　4）に、を　5）か、の　6）より、が
2．1）価値　2）提案　3）自由行動
　4）テーマ　5）普及　6）個人
　7）方言　8）寄付　9）行動
　10）軽く　11）やっぱり　12）さらに
　13）酔わない
3．1）例：アイスクリームなんかおいしい
　2）例：ホセさんなんか上手だ
　3）例：ワインなんか喜ぶ

読む・書く

1．1）に、を　2）に、を　3）から
　4）に　5）も　6）に、を　7）に
2．1）地味な　2）これまでに
　3）いかにも　4）ますます
　5）いくつか　6）送って　7）かけ
　8）あわて、落ち着いて　9）治め
　10）住み着く

3．1）よう　2）らしくない
　3）なさそうだ　4）みたい　5）として
　6）について　7）きた

第12課

文法・練習

1．1）例：昨日夜遅かったものですから。
　2）例：彼がとてもおもしろいことを言うものですから。
　3）例：傘がなかったものですから。
　4）例：わたしの悪口ばかり言うものですから。

2．1）みんなに笑われて、恥ずかしかったです。
　2）友達に部屋に来られて、勉強できませんでした。
　3）会社の人に病気で休まれて、仕事が遅くなりました。
　4）隣の部屋の人に騒がれて、寝られませんでした。

3．1）男の人にそばでたばこを吸われて、嫌でした。
　2）わたしが見つけた100円を女の人に先に拾われて、残念でした。
　3）若い人にバスの窓を開けられて、寒かったです。

4．1）降ったりやんだり
　2）寝たり起きたり
　3）簡単だったり難しかったり
　4）泣いたり笑ったり
　5）濃かったり薄かったり

5．1）借りっぱなし［b］
　2）出しっぱなし［d］
　3）負けっぱなし［e］
　4）やりっぱなし［c］

6．1）体が丈夫なおかげで、元気に働けます。
　2）病気になったおかげで、健康の大切さに気がつきました。
　3）留学させていただいたおかげで、いろいろ学べました。
　4）父にしかられたおかげで、悪いことがやめられました。

7．1）みんなが上手なせいで、この作文が下手に見えるんです。
　2）彼に話しかけられたせいで、計算を間違えました。
　3）子どもが騒いだせいで、鳥が逃げたんです。

8．1）に、を　2）を、で　3）に、に、を
　4）に、を、で

話す・聞く

1．1）で、に　2）から、が、に
　3）で、を
　4）までに

2．1）犯人　2）作業　3）家事
　4）温暖な　5）どうしても　6）あまり
　7）ぐっすり　8）遅く
　9）それはわかりますけど
　10）思わなかったものですから
　11）気がつきませんでした

3．1）例：喜んでいるから、（試験に）合格したみたいです。
　2）例：車がないから、帰ったみたいです。
　3）例：楽しそうにやっているから、きつくないみたいです。
　4）例：学校へ来ているから、取らなかったみたいですね。

読む・書く

1．1）に、を　2）に、を　3）に、が
　4）かと　5）の、も　6）の、が、は
2．1）苦労　2）配慮
　3）カルチャーショック　4）安全性
　5）さっぱり　6）おかしな
　7）騒々しかっ　8）必ずしも
　9）含まれて　10）加え　11）暮らす
　12）分かれて　13）こぼさ
3．1）治りますように
　2）あいませんように
　3）なさいますように
　4）くださいますように

復習　第10課～第12課

1．1）より、が　2）で、に、から
　3）か、ば　4）を／は、に
　5）に、を、で、に　6）が、に
　7）を、に、を
　8）を、に、に、に、を
2．1）受けない　2）誤解される
　3）確かめた　4）騒ぎ　5）言い
　6）暮らして　7）あわて、落ち着い
　8）される　9）暇だっ、忙しかっ
　10）入れっ　11）温暖な
3．1）うっかり　2）通りに　3）ぼんやり
　4）てっきり　5）めったに
　6）互いに　7）いかにも
　8）いくつか　9）さらに
　10）ますます　11）あまり
　12）どうしても　13）さっぱり
　14）必ずしも
4．1）（を）受けた　2）（が）当たる
　3）（に）出して　4）（を）出して
　5）（に）（を）かけて　6）（を）送って
　7）（を）かけ　8）（が）当たら
5．1）暮らして、住み着い　2）つながら
　3）建って　4）含んで　5）追いかけた
　6）あわてて　7）見かける
　8）こぼして　9）落ち着いて
　10）引き起こして
　11）積もった、転んで　12）染め
　13）もうけ　14）おかさ　15）治めて
6．1）例：ポーピモンさんは今、大学でタイ語を教えているはずです。
　2）例：先生も困る難しい質問をするところが、いかにもキムさんらしいです。
　3）例：行くはずでしたが、出張することになったんです。
　4）例：自分で作ります（が、）たまにコンビニで買うこともあります。
　5）例：勉強のことは考えずに、みんなと遊びたいです。
　6）例：わたしは話すより書くほうが難しいです。
　7）例：やっぱり○○○が観光地として有名です。
　8）例：簡単だったり、難しかったりします。
　9）例：両親のおかげで日本に留学する夢がかないました。
　10）例：家族で旅行に行ったとき、兄の下手な運転のせいで、気分が悪くなり、せっかくの旅行が全然楽しくなかったです。

総復習　第1課～第12課

1．1）の　2）を　3）から、へ
　4）に、に、か　5）が、に　6）を、と
　7）を、に　8）を、に　9）の

10）に、も　11）を、で

12）に、を、と

2．1）みたい　2）ように

3）させてもらいたい　4）そうな

5）しないと　6）あがった　7）なんて

8）そこ　9）まで　10）について

11）はずがない　12）きた　13）として

14）ず　15）おかげで　16）らしい

17）これ、それ

3．1）買(か)い換(か)えた　2）使(つか)い分(わ)けて

3）組(く)み合(あ)わせて　4）付(つ)け加(くわ)え

5）聞(き)き返(かえ)し　6）乗(の)り遅(おく)れて

7）追(お)いかけて　8）取(と)り入(い)れて

9）話(はな)しかけ

4．1）付(つ)け加(くわ)えさ　2）話(はな)し合(あ)う　3）勝(か)て

4）習(なら)わさ　5）寂(さび)し　6）豊(ゆた)かだ

7）認(みと)めよう　8）受(う)ける　9）怒(おこ)って

10）学(まな)ぶ　11）背負(せお)った　12）黙(だま)った

13）専門的(せんもんてき)な　14）聞(き)いた　15）地味(じみ)な

16）渋滞(じゅうたい)の　17）鳴(な)りっ

18）きつかった、楽(らく)だった

5．1）g　2）j　3）f　4）e　5）b

6）i　7）h　8）d　9）c

6．1）　4）

7．1）A　2）B　3）B　4）A

8．1）B　2）C　3）×　4）A　5）B